에듀윌을 선택한 이유는

3년 연속 취업 교육

1위

합격자 수 수직 증가

2,557%

취업 교재 누적 판매량

156만 부

베스트셀러 1위 달성

761회

에듀윌 취업을 선택하면
합격은 현실이 됩니다.

- 2021 대한민국 브랜드만족도 취업 교육 1위 (한경비즈니스)/2020, 2019 한국브랜드만족지수 취업 교육 1위 (주간동아, G밸리뉴스)
- 에듀윌 취업 수강생 공기업/대기업 서류, 필기, 면접 전형별 합격자 인증 건수(총집계/총합계) 2015~2019년도/2020년도
- 에듀윌 취업 교재 누적 판매량 합산 기준 (2012.05.14~2021.04.30)
- 온라인4대 서점(YES24, 교보문고, 알라딘, 인터파크) 일간/주간/월간 13개 베스트셀러 합산 기준 (2016.01.01~2021.05.09, 공기업NCS/직무적성/일반상식/시사상식 교재)

누적 판매량 156만 부 돌파*
취업 교재 베스트셀러 1위 761회

공기업, 대기업, 취업상식
수많은 취준생이 선택한 합격 교재

공사 공단 NCS 베스트셀러 1위

SK 19개월 베스트셀러 1위

취업상식 83개월 베스트셀러 1위

* 에듀윌 취업 교재 누적 판매량 합산 기준 (2012.05.14~2021.04.30) * 온라인4대 서점(YES24, 교보문고, 알라딘, 인터파크) 일간/주간/월간 13개 베스트셀러 합산 기준 (2016.01.01~2021.05.09, 공기업NCS/직무적성/일반상식/시사상식 교재)
* YES24 수험서 자격증 취업/상식/적성검사 공사 공단 NCS 베스트셀러 1위 (2021년 10월 월별 베스트)
* YES24 수험서 자격증 취업/상식/적성검사 SK 베스트셀러 1위 (2017년 9~10월, 12월, 2018년 1월, 2019년 9월, 2020년 2~4월, 8~11월, 2021년 2~8월 월별 베스트)
* 알라딘 수험서/자격증 월간 이슈&상식 베스트셀러 1위 (2012년 5~7월, 9~11월, 2013년 1월, 4~5월, 11월, 2014년 1월, 3~11월, 2015년 1월, 3~4월, 10월, 12월, 2016년 2월, 7~12월, 2017년 8월~2021년 10월 월간 베스트)

취업 대세 에듀윌!
Why 에듀윌 월간 NCS

NO 묵은 정보!
제철 콘텐츠 수록

공기업 채용 준비 시기에 맞는 제철 콘텐츠로
취업에 필요한 알짜 정보 수록

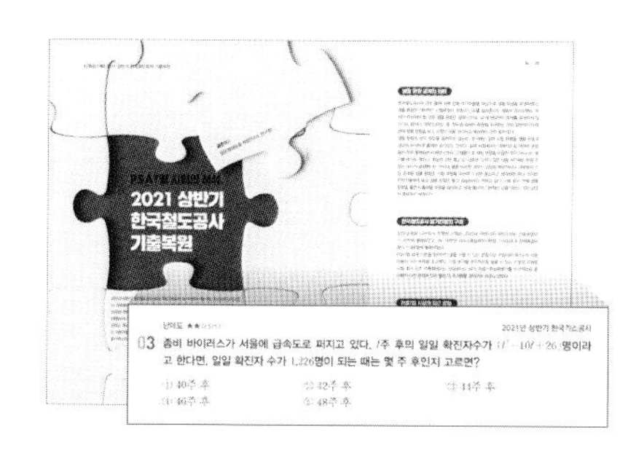

NO 가짜기출!
100% 찐기출복원

주요 공기업 최신 기출복원 문제 확보
100% 기출복원 출처 반영*

No 재탕!
최신 이슈, 최신 유형 반영!

적중 예상! 가장 최신의 시험을 반영한
100% 새 문항*

* 월간 NCS 2021년 05월호 기준
* 월간 NCS 2021년 01월호 기준

모바일 OMR 자동채점&성적분석 무료

정답만 입력하면 채점에서 성적분석까지 한번에!

STEP 1

교재 내 QR 코드 스캔

- 교재 내 QR 코드를 모바일로 스캔 후 에듀윌 회원 로그인
- QR 코드 하단의 바로가기 주소로도 접속 가능

STEP 2

모바일 OMR 입력

- 회차 확인 후 '응시하기' 클릭
- 모바일 OMR에 답안 입력
- 문제풀이 시간까지 측정 가능

STEP 3

자동채점 & 성적분석표 확인

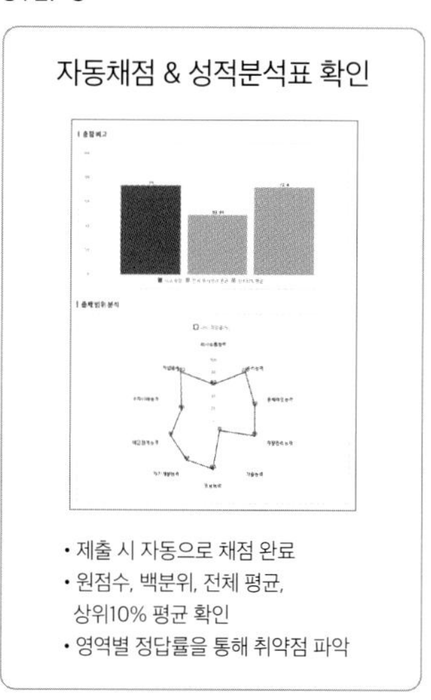

- 제출 시 자동으로 채점 완료
- 원점수, 백분위, 전체 평균, 상위10% 평균 확인
- 영역별 정답률을 통해 취약점 파악

응시내역 통합조회

에듀윌 문풀훈련소 또는 puri.eduwill.net

공기업·대기업 취업 클릭 → 상단 '교재풀이' 클릭 → 메뉴에서 응시내역 확인

※ '모바일 OMR 자동채점&성적분석' 서비스는 교재마다 제공 여부가 다를 수 있으니, 교재 뒷면 구매자 특별혜택을 확인해 주시기 바랍니다.

에듀윌 월간 NCS와 #소통해요

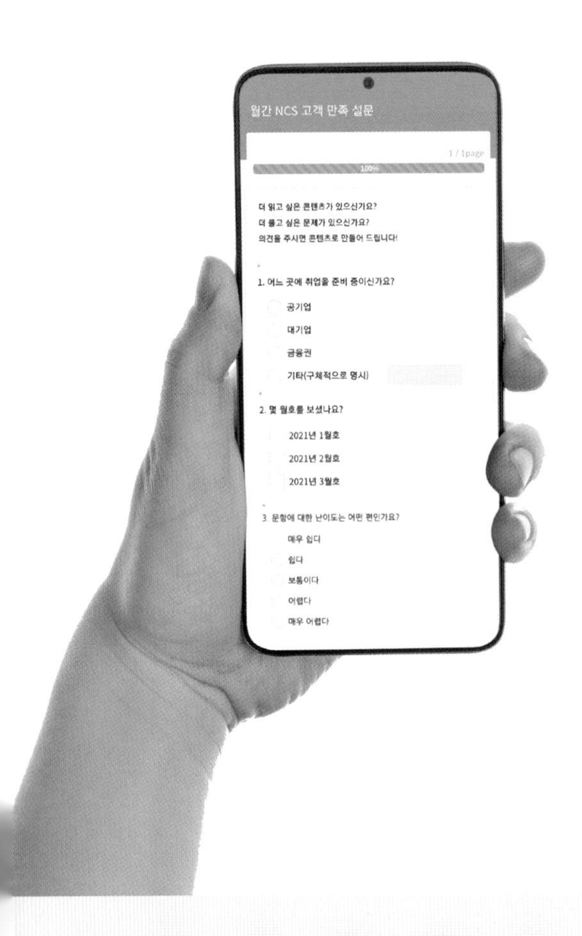

더 읽고 싶은 콘텐츠가 있으신가요?
더 풀고 싶은 문제가 있으신가요?
의견을 주시면 콘텐츠로 만들어 드립니다!

- ☑ 제철 콘텐츠에서 꼭 필요한 주제를 알려주세요.
- ☑ 원하시는 문항 유형이나 소재 등의 의견을 보내주세요.
- ☑ 보내 주신 의견을 반영하여 매달 더욱 새롭게 거듭나겠습니다.
- ☑ 의견이 채택되면 개별 연락 드려 소정의 선물을 드립니다.

| 소통하는 방법

방법1 QR코드 스캔 접속
방법2 http://eduwill.kr/crdF 인터넷 주소 입력으로 접속

설문조사
바로가기

※ 상위의 이미지는 이해를 돕기 위한 예시 이미지입니다.

에듀윌 월간 NCS

[매달 만나는 100% 새 문항]

제대로 된 준비

날씨가 추워지면 우리는 겨울 준비를 합니다.
옷장에서 패딩과 코트를 꺼내고, 장갑을 끼고 목도리를 두르죠.
단단히 준비하고 맞이한 겨울바람은 생각보다 춥게 느껴지지 않습니다.
겨울을 대비하듯이 우리의 힘든 이 시기에도, 제대로 된 준비를 해야 합니다.

이 시기를 잘 보내기 위해서는 무엇을 준비해야 할까요.
부족했던 것은 무엇인지,
잘하고 있는 것은 무엇인지 점검하고 보완하는 시간이 필요합니다.

겨울을 대비하듯이 단단히 준비한다면,
어려운 지금 이 시기를 슬기롭게 이겨내고
찬란한 봄을 맞이할 수 있을 것입니다.

Contents

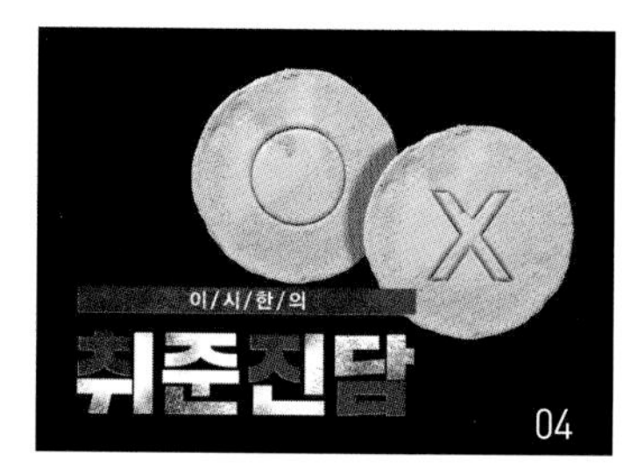

매달 만나는 채용 트렌드

제 철 콘 텐 츠

통권 제12호 2021. 12

펴낸곳 (주)에듀윌 **펴낸이** 박명규 **출판총괄** 김형석

개발책임 김기임, 윤은영 **개발** 심재은, 금혜원 **디자인 책임** 김소진 **디자인** 표지 장미례 I 내지 석지혜, 이지현

주소 서울시 구로구 디지털로34길 55 코오롱싸이언스밸리 2차 3층 **대표번호** 1600-6700 **등록번호** 제25100-2002-000052호

이/시/한/의

취업을 준비하는 사람들을 위한 진솔하고 담백한 이야기

글쓴이 | 이시한(성신여대 겸임교수)

우리는 오징어 게임을

대기업들의 공채폐지로 인해, 12월의 의미가 많이 퇴색하기는 했지만 그래도 여전히 하반기 채용의 성패가 어느 정도 갈려 있다는 점에서 이 시기는 취준생들에게는, 한 해의 성적표를 받아드는 계절입니다. 사실 좋은 소식이 있었다면 성적표 따위는 거부하고 바로 취준 탈출의 길로 빠져나가면 되겠지만, 성적표를 보고 좋은 점, 나쁜 점을 체크해야 된다는 것은 성적표에 적힌 내용이 그다지 긍정적인 상황이 아니었다는 것을 반증하기도 하죠.

게다가 이 시기에는 채용 공고도 드물 가능성이 많아요. 아무래도 12월은 기업의 결산이 몰려 있고, 그리고 내년도 사업계획에 대한 정리와 발표 같은 것들이 집중적으로 이루어지는 달이다 보니 새로 사람을 들이는 채용에는 소극적인 달일 수밖에 없습니다. 한 해의 마지막 달에 사람을 뽑는 것보다 차라리 새로운 마음으로 내년 초에 사람을 뽑는 것이 나은데, 1월에 바로 하기에는 좀 부담스러우니 2월쯤부터 채용을 시작하려는 마음인 것이죠.

하고 있는 것이 아니다

이래저래 하반기 채용 시즌이 지나서 좋은 소식을 받지 못한 사람들 입장에서는 채용 공고조차 거의 없는 보릿고개의 시기이다 보니 이 겨울이 참 견디기 어려운 계절이 됩니다. 그래서 그 어느 때보다 12월은 취준생들에게 힐링과 위로가 필요한 계절이기도 합니다.

바라던 취업에 성공하지 못해 제일 마음이 아픈 것은 취준생 본인일 것인데, 부모님에게 죄송하고, 취업한 친구들 앞에서는 왠지 어색해지게 됩니다. 그래서 자신이 아프거나 힘든 것은 내색하지 못하고, 오히려 겉으로는 씩씩한 척 하느라 마음이 병들기도 쉽거든요. 괜히 괜찮은 척하지 마시고, 사실 아픈 것은 아프다, 힘든 것은 힘들다고 이야기해도 돼요. 그래야 툭툭 털고 일어나 '다음'을 준비할 수 있습니다.

12월에는 힐링, 위로가 필요하기도 하지만, 한편으로는 내년도에 있을 채용에 대한 전략과 준비가 필요하기도 하거든요.

채용에서는 '잘 하는 것'보다 '잘 맞는 것'이 중요하다

얼마 전에 어떤 희망 기업의 서류에서 탈락한 분이 '인생이 끝난 것 같다'라고 심정을 토로하셨는데, 진짜로 인생이 끝났을 리는 없잖아요. 다만 그만큼 속이 상하고 애가 탄다는 거죠. 게다가 설상가상으로 다른 기업들의 탈락 소식들까지 더해지면, 바닥이라고 생각했던 우울함은 사실 거기가 끝이 아니라 지하 2층, 지하 4층, 심지어 때로는 지하 8층까지 있나는 것을 알게 됩니다.

이때쯤에는 '사회가 나를 거부한다.', '나는 사회에 쓸모없는 사람이구나.', "내가 바로 오징어 게임의 '무궁화 꽃이 피었습니다'에서 탈락한 사람 중 하나구나."와 같은 생각들이 머릿속에 조금씩 자리 잡기 시작합니다.

'사회에서 필요한 어떤 것이 있는데 나는 그것을 갖추지 못했다'고 스스로 생각하게 되면, 당연히 위축될 수밖에 없습니다. 그리고 새로운 채용 공고가 나지 않고, 이런 우울감에 계속 시달리게 되면 결국에는 그것은 우울감을 넘어 자존감을 건드리게 돼요. 세상을 똑바로 마주보기에는 고개가 너무 무거워져서, 자꾸 얼굴을 떨구고 다니게 되거든요.

그래서 힐링을 주는 책들을 찾아보게 되죠. 그럴 때는 제목만으로도 위로를 주는 책들도 많아요. 『작은 별이지만 빛나고 있어』, 『나는 나로 살기로 했다』, 『죽고 싶지만 떡볶이는 먹고 싶어』 같은 책들 말이죠. 하지만 여전히 그런 책들이 주는 '존재만으로도 빛나는 당신'이라는 메시지는 책을 읽는 그때뿐, 다시 일상으로 눈을 돌리면 여전히 아무것도 나아지지 않은 현실에 우울감이 배가 될 때도 있죠.

그런데 여기서 아주 중요한 사실이 하나 있어요. 채용에서 탈락했다고 그것이 못남이나 부족함의 결과는 아니라는 것입니다. 채용은 넷플릭스 드라마 「오징어 게임」이 아니거든요. '오징어 게임'은 단 하나의 목적이 있고, 거기에 맞지 않은 행동을 하면 탈락되게 되어 있죠. 예를 들어 '무궁화 꽃이 피었습니다'라는 놀이를 할 때는 모두 정해진 시간 안에 술래 앞에 놓인 선 안쪽으로 들어오기 위해 달리게 됩니다. 가야 하는 방향이 하나인 거예요. 그런데 시간 안에 못 가거나, 술래가 돌아보는 순간에는 움직이면 안 된다는 정해진 규칙을 어기는 순간 바로 탈락하게 되죠. 그런 게임에서 탈락하게 되면 '나는 남들보다 빠르지 못해', '나는 남들보다 순발력이 떨어져'라는 생각을 할 수 있죠. 그런데 근본적으로 채용은 모두 똑같은 방향으로 가는 것이 아닙니다. 기업마다 필요한 사람이 다른 만큼 채용에서 원하는 능력이나 태도 등이 다르거든요. 어떤 기업에서는 순발력 있는 사람을 더 좋아할 수도 있겠지만, 어떤 기업에서는 순발력은 조금 떨어지더라도 오히려 진득하게 일을 끝까지 붙드는 사람을 더 좋아할 수도 있습니다.

그러니 기업의 선발에서 떨어진 것은 남들에 비해서 능력이 떨어지고 준비가 덜 된 것이 아니라, 자신이 지원한 그 기업 혹은 그 직무와 '핏'이 안 맞는 겁니다. 핏이 안 맞는 것에는 두 가지가 있는데, 실제 업무와 전혀 어울리지 않는 경우도 있고, 채용과정에서 그 기업, 그 직무와 핏이 맞는다는 사실을 충분히 보여 주지 못해서일 수도 있어요. 그 기업이 원하는 인재상, 그리고 확장하는 사업의 성격, 채용 공고, 미래 산업에 대한 일반적 예측 등 여러 가지 단서들을 통해 그 기업의 원하는 핏을 찾고 자신이 가진 여러 가지 특징 중 그 기업이 원하는 부분을 잘 보여 주는 세심한 노력이 필요했는데, 그냥 남들이 하는 제너럴한 준비만 한 것일 수 있다는 것이죠.

현대 사회의 기업들은 원하는 인재의 모양이나 능력들이 분명히 있습니다. 그런데 내가 탈락한 것은 무언가 모자라서라기보다는 그 부분과 잘 맞지 않는 것뿐이에요. 그러니 채용은 입시처럼 능력을 증명하는 과정이라기보다는 자신의 특성과 잘 맞는 일터를 찾는 과정입니다. 여기서 탈락했다고 해서 쉽게 자기 자신을 의심하지 마세요. 그냥 조금 더 찾으려는 노력을 하고, 자신의 특성을 잘 보여 주려고 노력해야겠구나 하고 생각하는 계기로 삼으면 충분합니다.

전략적 요충지인 12월

12월은 잠깐 자기 자신을 돌아보고 스스로를 생각하는 계기로 삼으시면 좋은데, 중요한 것은 너무 오래 그런 생각에만 사로잡혀 있으면 안 된다는 것입니다. 위드 코로나 시대 원년이라고 할 수 있는 내년에는 조금 더 많은 기회들이 펼쳐질 텐데, 내년의 채용 시장이 2월에 열린다고 해도, 따지고 보면 지금부터 3개월밖에 남지 않았기 때문입니다. 그러니 이번 채용에서 핏이 맞지 않았던 부분은 어떤 것인지 찾고, 그런 것들에 수치적 증명이 필요하면 그것들을 채워 넣을 수 있는 시간이 바로 지금 이 시기입니다.

예를 들어 '새로운 기술에 관심이 많다'고 했으면 기업 관계자들에게 그것을 어필하기 위해서는 겨울 시즌을 이용해 관련 교육을 찾아 들으면 됩니다. '누구보다 활발하고 적극적'이라는 성격을 자랑한 사람이 대외활동 같은 것이 하나도 없다는 것은 사실 말이 안 됩니다. 하지만 실제로 그런 성격인데도 불구하고, 여러 가지 사정 때문에 대외적인 활동은 전무한 사람도 있을 수 있습니다. 문제는 그런 것들을 기업의 관계자들은 알 수 없다는 것입니다. 서류 한 번으로도, 20분의 면접으로도 그런 것을 알 수 있게 하는 객관적 자료들이 필요한 것입니다. 이 시기에는 그런 부분들을 채워 넣을 수 있어야 합니다. 단순히 NCS 점수가 모자랐거나 전공 점수가 모자라서 시험에 떨어졌다면, 부족한 영역에 대해 공부할 수 있는 시간이 이 시기이기도 하죠.

그래서 '전략'이라는 말을 쓰는 겁니다. 전략의 핵심은 상대방에 대한 정보, 그리고 자기 자신에 대한 객관적인 성찰, 이 두 가지를 전제로 가장 잘 맞는 행동의 방식을 정하는 것입니다. 그래서 취업전략을 짜실 때는 먼저 자기 자신에 대한 판단을 해야 합니다. 그리고 기업에 대한 정보, 정확히는 기업이 원하는 인재에 대한 정보가 있어야 하죠. 그것이 기업분석 같은 것만을 말하는 것은 아닙니다. 기업 분석이라는 것은 그 기업의 과거와 현재인데, 기업에서 사람을 뽑을 때는 미래를 보고 뽑기 때문입니다. 따라서 '지금까지 무엇을 했다'가 아니라, '앞으로 무엇을 할 것이다'라는 것이 중요합니다. 지금까지는 그렇게 과거의 영광 안에서만 사업을 영위해도 기업이 살아남을 수 있는 시대였지만, 앞으로는 그런 기업은 살아남지 못합니다. 시시각각으로 변화하는 미래에 선취적으로 대응하고, 빠르게 혁신하는 기업만이 살아남을 수 있어요. LG가 스마트폰 사업을 포기할 것이라고 그 누가 생각을 했겠어요. 하지만 LG는 스마트폰을 버리고 그 기술을 자율주행차 전장 사업에 쏟기로 결정을 했습니다. 대기업도 이렇게 빠르게 피벗(pivot)을 하는 거예요.

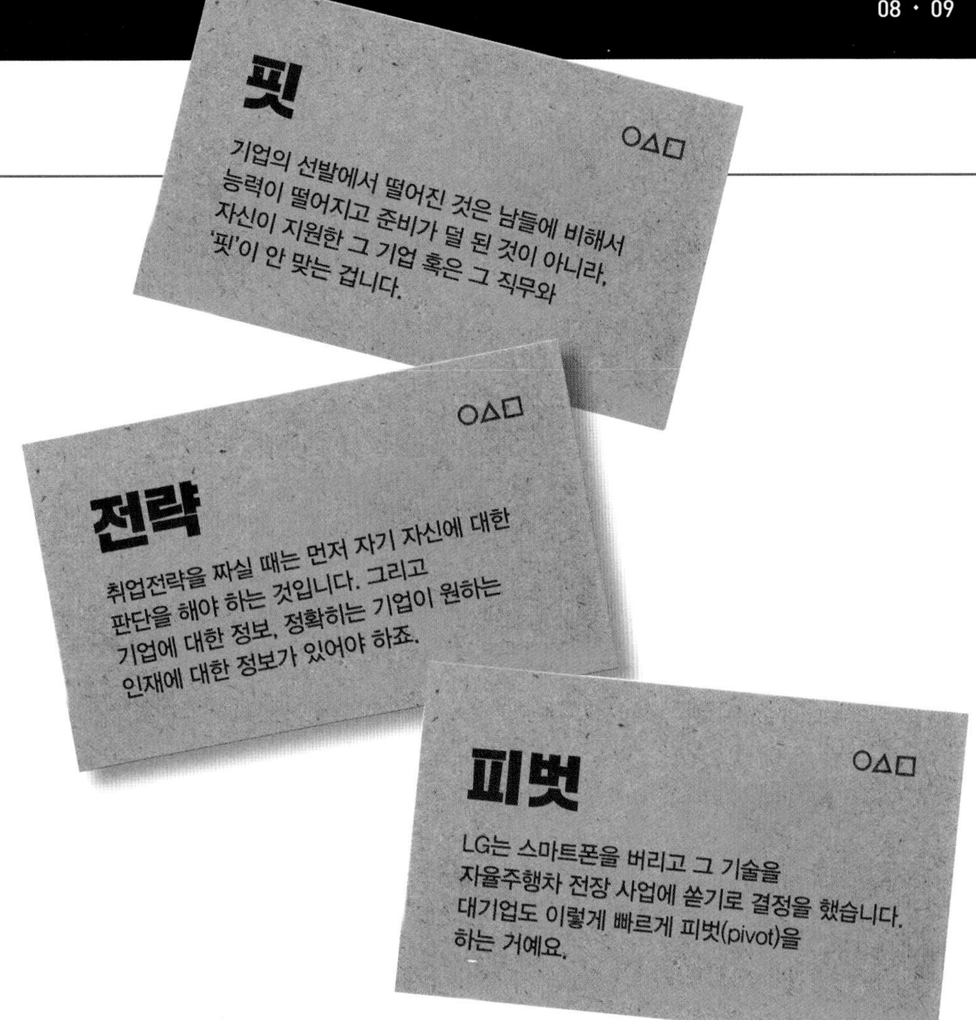

당신의 겨울은?

이 시기는 겨울 시즌을 잘 나고, 내년에 있을 새로운 채용 시즌을 잘 준비해야 하는 시기인데도 불구하고, 채용 탈락의 충격과 당분간 그것을 잊게 할 만한 새로운 몰입거리가 없다는 점에서 취준생들에게는 어영부영 시간을 허비하기에 좋은 시간이 될 수 있습니다.
스스로 자존감을 다친 것은 아닌지 돌아보시고, 다만 안 맞았을 뿐 부족한 것은 아니라는 것을 깨달으시기를 바랍니다. 그리고 그 안 맞는 부분, 보완이 필요한 부분을 잘 찾아서 겨울을 어떤 식으로 보내는 것이 자신에게 가장 효과적일까를 전략적으로 잘 설계하는 계절을 보내시기를 바랍니다.

가산점 주는 자격증정보

SPEC LIST

글쓴이 | 윤장섭(H&C직무인증원 대표이사)

공공기관 채용에서의 자격 가산점

'직무 중심 채용'이라는 슬로건을 걸고 있는, NCS를 기반으로 하는 공공기관 채용에서는 지원자의 직무 역량을 평가하기 위해 다양한 각도에서 기준을 설정한다.

자격증은 자신의 직무 역량을 간단명료하게 어필할 수 있는 효과적인 방법 중 하나이다. 2018년부터 공공기관들이 의무적으로 블라인드 채용을 진행하게 되면서 새롭게 개발된 블라인드 표준 입사지원서에도 '자격사항'이라는 항목으로 국가기술/전문자격과 국가공인민간자격증을 기재하도록 하고 있다. 특히 채용 과정에서 투명성과 객관성을 중요하게 여기는 공공기관 채용에서는 채용공고문에 각 전형별 상세 정보를 지원자에게 제공하고 있으며, 직무별로 관련 있는 자격증에 대한 가산점 정보도 제공하고 있다. 취업 준비생 입장에서는 목표 기업의 최신 채용공고문을 확인하여 지원 직무에서 가산점이 적용되고 있는 자격증을 사전에 준비하면 채용 과정에서 다른 지원자보다 경쟁우위를 확보할 수 있을 것이다. 특히 가산점은 '서류 – 필기 – 면접' 세 가지 전형별로 동점자가 발생할 경우 우선 적용되는 경우가 많다. 평균 50:1에서 100:1 이상의 경쟁률을 보이고 있는 공공기관의 높은 취업 경쟁률을 감안하면 다수의 지원자가 응시한 상태에서 동점자 발생 가능성이 높고 이 경우 가산점을 확보하고 있는 것이 취업에 성공하기 위한 중요한 요소가 될 것이다.

공기업 취업 준비하지? 그럼 '한국사'랑 '컴활' 있어?

공공기관 취업 준비생들은 기본적으로 '한국사능력검정시험'과 '컴퓨터활용능력' 자격증 1급을 취득하고 있다. 우리는 어떤 성과를 얻기 위해서는 그만큼 시간과 노력을 투자해야 한다. 시간과 노력의 투자가 많을수록 높은 성과를 얻을 수 있는 것을 당연한 이치이다. 하지만 보다 효과적인 성과를 얻기 위해서는 필요한 만큼의 투자로 필요한 만큼의 성과를 얻는 것이다. 정확한 정보 확인 없이 막연하게 주변에서 '한국사능력검정시험'과 '컴퓨터활용능력' 1급 자격을 취득해야 한다는 이야기만 듣고 현재 2급 또는 3급 자격증을 보유한 상태에서도 1급을 다시 준비하는 취업 준비생들을 주변에서 많이 봐 왔다. 취업 준비생들이 주로 목표로 하고 있는 공공기관(공기업/공단 등)의 자격증 가점 사항을 보면 예상 외로 '한국사능력검정시험'과 '컴퓨터활용능력'에 대한 가점이 없거나 3급 이상을 동일가점으로 주는 기업도 많다는 것을 확인할 수 있다. 따라서 '한국사능력검정시험'과 '컴퓨터활용능력' 자격증 취득을 통해 가산점을 받는 것도 중요하지만 목표 기업에 맞게 준비하는 것이 효과적이다.

자격증 취득도 중요하지만,
목표 기업에 맞는 가산점 정보를 파악하고
준비하는 것이 효과적!

주요 기업별 가산점 자격증 현황

기업명	한국사검정시험	컴퓨터 활용 능력	한국어	외국어
IBK기업은행	1급 3%(필기)	-	-	• 글로벌채용분야만 적용 • 토익 955점 이상 5% 우대 (=토플 112점, 토스 180점, 오픽 AL이상) • 영어+제2외국어 둘 다 기준 이상 시 10% 우대 (JPT 880점, HSK 6급, 오픽 AH등급 이상)
건강보험심사평가원	1~3급	1~2급	KBS 한국어능력시험 1~3급 (또는 국어능력인증 1~3급) 한국실용글쓰기1급~준3급	• 공인영어능력시험(토익, 토플, 토스, 뉴텝스, 오픽) * 배점 미공개
공무원연금공단	5급:1급 5점, 2급 3점	7급:1급 30점, 2급 20점	-	• 5급: 토익 880점, 토플 103점 뉴텝스 355점 이상
국민연금공단	3급 이상	2급 이상	사무2: KBS 한국어능력 3+급 이상, 한국사능력검정 3급 이상	• 6급갑 사무직만 해당: 토익 700점, 토플 79점, 뉴텝스 364점 이상 10점
근로복지공단	보유 (한국사능력 10점)	2급 이상 (전산자격 20점)	국어능력인증시험, 한국어능력시험, 한국실용글쓰기검정 (국어능력5점)	
기술보증기금	-	-	-	• 지원 자격: 토익 760점, 토스 130점, 뉴텝스 328점, 토플 81점 오픽 IM2 이상
도로교통공단	1급(3점) 2급(2점)	1급(10점), 2급(5점)	• 15점: 국어능력인증시험 1, 2급 / KBS 한국어능력 770점 이상, 한국 실용글쓰기 1, 2급 • 10점: 국어능력인증시험 3, 4급 / KBS 한국어능력 670점 이상, 한국 실용글쓰 기준 2, 3급 • 5점: 국어능력인증시험 5급 / KBS 한국어능력 570점 이상, 한국실용 글쓰기준급 * 아나운서 / 편성제작분야만적용	• 영어점수 40%
서울주택도시공사	1급(서류3%), 2급(서류2%)	-	-	• 사무직 지원 자격: 토익 800점, 토플 91점, 뉴텝스 348점 이상 • 기술직 지원 자격: 토익 700점, 토플 79점, 뉴텝스 300점 이상
신용보증기금	2급 이상 (서류2%)	-	-	• 기준점수(토플 71점, 토익 700점, 텝스 340점) 이상 시 10점 부여
한국무역보험공사	2급 이상	-	-	• 영어 필기시험을 공인영어성적(토익, 토플, 뉴텝스)으로 대체
한국관광공사	1급 1% 2급 0.5%	-	-	• 지원 자격: 토익 800점, 뉴텝스 355점, 토플 91점 이상(택1) 보유 • 복수외국어능통장: 만점의 3% 가산 (아래의 언어 中 1개 언어만 적용) - 중국어(新 HSK 5급 180점 이상) 또는 일본어(JPT 700점, JLPT N1 이상): 택1 - 노어·독어·불어·서어: FLEX 듣기-읽기 700점 이상 또는 아래 중 택1 * (노어) TORFL 1단계 이상, (독어) Goethe Zertifikat B1 이상, (불어) DELFB1이상, (서어)DELEB1이상
한국수력원자력공사	3급 이상 (2점)	1급	2점:국어능력인증시험 137점 이상 / KBS 한국어능력시험 545점 이상, 한국실용글쓰기 630점 이상	• 지원 자격: - 사무: 토익 750점 이상 또는 토익 스피킹 130점 이상 - 기술: 토익 700점 이상 또는 토익 스피킹 기준 *사무직 토익 850점/기술직 토익 800점 이상 만점 토스 160점, 텝스 스피킹 68점, 오픽 IH 이상 자격 가점 3점
한국전력공사	3급 이상 (5점)	1급(5점)	5점: 국어능력인증 3급, KBS 한국어능력시험 3+급, 한국실용글쓰기 준2급 이상	• 지원 자격: 토익 700점 이상(토익 850점 이상 만점) • 자격 우대 5점: 토익 스피킹 7등급, 오픽 IH등급, FLEX (말하기) 1C등급 이상
대한무역 투자진흥공사 KOTRA	3급 이상 (만점의 0.5~1%)	-	-	• 지원 자격: ①토익 850점(또는 뉴텝스 336점, 토플 98점) ②토익 스피킹 160점(또는 오픽 IH등급) 이상 ※ 조건 ①, ② 모두 충족해야 함

※ 2021년 채용 기준 데이터로, 자세한 내용은 기업별 채용 홈페이지 참고

한국어와 외국어 가점

'한국사능력검정시험'과 '컴퓨터활용능력' 자격증에 대한 가산점 이외에도 한국어와 외국어 가점을 부여하는 공공기관도 있다. 한국어 관련 가산점을 받을 수 있는 자격증은 '국어능력인증', 'KBS한국어능력', '한국실용글쓰기' 자격증이 있으며, 공공기관마다 적용 자격증이나 가점이 다를 수 있으므로 목표 기업에서 적용되는 자격 검증시험으로 준비하는 것이 중요하다. 외국어 가산점은 말하기 능력을 가산점으로 부여하는 경우가 많다. '토익 스피킹', '오픽(OPIc)', 'FLEX' 등 영어 관련 자격증과 기타 외국어 자격증을 가산점으로 부여한다. 앞에서 언급한 '한국사능력검정시험'과 '컴퓨터활용능력', 그리고 한국어와 외국어 관련 자격증은 사무직무와 기술직무 모두 공통으로 적용되는 경우가 많으므로 공공기관 취업 준비생들은 직무와 관련 없이 위 자격증들은 자신의 상황에 따라 준비하는 것을 추천한다.

직무별 가점 자격증

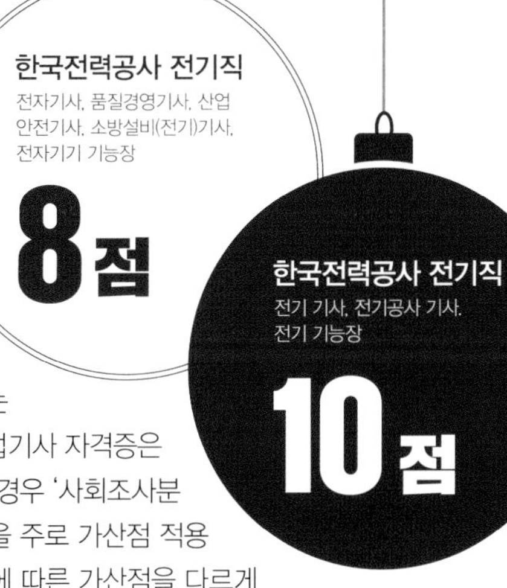

공공기관의 채용 직무는 크게 사무직무와 기술직무로 구분할 수 있다. 기술직무의 경우 주로 공학 전공자들이 지원하게 되는데 기사, 기능장, 산업기사로 구분하여 배점을 다르게 주고 있다. 또한 배점 기준도 지원 직무와 관련 있는 자격증과 관련성이 떨어지는 자격증에 따라 배점이 다르다. 예를 들어 한국전력공사 전기직의 경우 '전기 기사', '전기공사 기사' 자격증이나 '전기 기능장' 자격증과 같이 직무와 관련 있는 자격증을 취득하면 10점의 가산점을 부여하고, '전자기사', '품질경영기사', '산업안전기사', '소방설비(전기)기사', '전자기기 기능장'같이 직무와 관련성이 떨어지는 자격증을 취득하면 8점의 가산점을 부여한다. 또한 같은 기준으로 전기 관련 산업기사 자격증은 5점, 전기와 관련성이 떨어지는 산업기사 자격증은 3점을 부여한다. 사무직무의 경우 '사회조사분석사', '사회복지사', '전산세무', '전산회계', '회계관리', '재경관리사' 등의 자격증을 주로 가산점 적용 자격증으로 지정하고 있다. 특히 공공기관의 특성이나 직무에 따라 자격증 등급에 따른 가산점을 다르게 적용하고 있으므로 채용공고문 내용을 정확하게 확인하고 자격증을 사전에 준비하는 것이 효과적이다. 예를 들어 국민건강보험공단의 경우 '사회복지사' 2급 이상 자격 취득자에게 가점을 부여하지만 국민연금공단의 경우 '사회복지사' 1급 자격증에 가점을 부여한다. '사회복지사' 자격증의 경우 특정 전공을 이수해야 취득할 수 있는 자격증이므로 공공기관과 직무의 특성에 따라 자격증을 취득할 것이다.

특히 일반적으로 대졸 수준의 사무 직무에 지원하는 취업 준비생들이 취득하기 용이한 자격증으로 '사회조사분석사'와 '전산회계' 등의 자격증을 추천한다. 사무직무의 경우 주로 NCS 분류 체계 대분류 2번인 '경영 · 회계 · 사무'에 속해 있는 직무를 수행하게 된다. 그중 세분류 기준 직무인 사무행정, 경영기획, 고객관리, 총무, 인사, 회계, 재무 등의 직무가 대다수 취업 준비생들이 수행할 수 있는 직무일 것이다. 언급한 직무들과 관련된 직무기술서 내용을 확인하면 주로 '경영환경 조사 및 분석', '데이터 활용 및 분석', '경영목표 달성을 위한 전략 수립' 등의 내용이 많이 등장할 것이다. 그런 의미에서 '사회조사분석사'와 '전산회계'는 직무 기술서와 관련성이 높은 자격증인 것이다. 이렇듯 기관, 직무 등에 따라 적용되는 가산점 자격증이 다르므로 본인이 학창시절 전공으로 이수했거나 주로 학습했던 내용들을 기반으로 공공기관별로 적용되는 가산점 자격증을 확인하여 준비해야 한다.

공공기관 면접에서

준비해야 하는 답변 2편

합격 PASS

글쓴이 I 윤성훈(유어스 잡 대표)

공공기관의 직업을 가진다는 것은 기업 · 기관이 필요로 하는 '조직이 필요로 하는 업무수행(직)'을 '공공의 재화나 공공의 서비스를 공급하는 기관 · 기업'에서 수행한다는 의미를 가진다. 직업인이 되기 위해서는 해당 조직이 필요로 하는 인재인가를 검증받게 되는 과정을 거치게 되는데, 이것을 채용이라고 생각하면 취업준비가 간단해지게 된다. 당연히 내가 소속되어야 하는 조직에 대한 이해를 바탕으로 해당업무에 대한 수행이 가능한 사람임을 증명하면 된다.

직무중심 채용이 이루어지다 보니 대부분의 지원자들은 '직무설명자료(직무기술서)'를 기반으로 내가 지원하는 업무가 어떤 일을 하는 것인지 정확히 이해하고 면접장에 들어가는 것이 일반적이다. 하지만 공공기관의 면접관으로 면접을 진행하다 보면 해당 기관의 주요 사업영역이나 최신 이슈를 정확히 이해하지 못하고 면접에 참여하는 지원자를 볼 수 있다. 면접의 전반적인 방향성을 잡는 과정에서 꼭 고민해야 하는 부분이다. 특히 내가 지원하는 업무를 잘할 수 있는 이유에 대한 구체적인 준비가 아닌 해당 기관에서 지원하는 업무를 잘할 수 있는 이유를 꼭 준비해야 한다. 그렇기에 공공기관 면접을 준비하기 위해서는 어느 정도의 시간을 들여 기업분석을 하고 기업에 대한 이해를 하는 것이 좋다.

PT면접 및 토론면접을 위한 기업분석

온 · 오프라인을 통해 학생들을 컨설팅하다 보면 PT와 토론면접에 대한 준비를 어려워하는 경우가 많다. 10~50분 정도의 짧은 준비시간을 거쳐 발표나 대화를 하는 면접이기에 사전에 준비되어 있지 않으면 면접장에서 당황하고 혼란스러울 수밖에 없다. 그렇기에 아래의 과정을 통해 면접을 준비하는 것이 좋다.

면접준비 과정

1	2	3
알리오 공시자료에서 [경영혁신사례], [연구보고서]를 활용한 주요 이슈 확인 www.alio.go.kr/home.do	해당 이슈에 대한 나의 견해 정리 (대응 전략 중심으로)	4~5가지의 전략으로 압축하고 1분 30초 정도의 답변내용을 만들어 말하는 연습하기

면접장에서 길지 않은 준비시간 동안 완벽에 가까운 답을 머릿속으로 정리하고 발표 및 발언을 하는 것은 쉽지 않은 일이다. 면접이 진행되기 전에 해당기관에 대해 사전 조사하여 답을 만들어 가야 한다. 알리오 공시자료의 [경영혁신사례]나 [연구보고서]는 기관이 가지고 있는 주요 이슈에 대한 좋은 답이 될 수 있다.

한국전력공사

- ☐ 수직구 기계식 굴착 설계기준 수립
- ☐ 농업용 대체에너지 개발 및 온실가스 배출저감을 위한 A.C.E-Farm 모델 개발
- ☐ Laser peening을 이용한 고온부품 피로수명향상 타당성 조사
- ☑ **HVDC MI-PPLP 케이블 부분방전 특성분석 및 진단시스템 개발**
- ☑ **송변전설비 지진피해 예측 및 시뮬레이션 기술 개발**
- ☐ 15MWth급 CO2 가스화-순산소 가압유동층 복합발전 기술 개발[Phase I]
- ☐ 전력망 보안성 강화를 위한 양자암호통신 기반기술 연구
- ☑ **내진설계기준 개정을 위한 전력설비의 지진응답 특성 연구**
- ☐ 송변전 EPRI 연구개발 프로그램 가입 및 활용 – Part 2
- ☑ **배전 지중케이블용 고유연 스마트 센서 및 이상검출 알고리듬 개발**
- ☐ 인공지능기술기반 보안관제시스템 개발
- ☐ 보호배전반 운영기준 및 전력설비 보호시스템 진단개선
- ☐ EPRI 발전분야 프로그램 가입 및 활용
- ☐ 변압기 상태진단용 저가형 장치 개발
- ☐ 배전설비 3D data 구축 및 증강현실 운영관리 기술 개발

한국전력공사의 연구보고서를 보면 첫 페이지에 나오는 연구주제들이다. 주제별로 연구활동이 진행되었고, 4개의 연구조사 자료가 공개되었다. 공정한 채용을 중요시하는 공공기관의 특성상 많은 사람이 알 수 있는 자료를 중심으로 면접이 진행될 가능성이 높고, 대략적으로 세 가지 이슈로 정리가 되는 것을 볼 수 있다. '지진관련 설비안정화', '지중케이블 관련', '케이블 안정화' 등이 공개된 연구사항이고 관심이 있다는 의미가 된다.

다음 페이지로 넘어가도 케이블 수명과 관련된 연구와 빅데이터를 활용한 전력계통 상황인지 등 비슷한 내용의 연구과제들이 많은 편이다. 위의 주제는 연구주제이기에 기술직렬 지원자들이 알아두면 좋고, 만약에 PT면접이나 토론면접을 볼 때 위의 주제로 질문이 나올 경우 관련 사안들에 대해 미리 '어떻게 대처하면 좋을 것인가'에 대한 생각을 정리해 두었다면 쉽게 면접을 볼 수 있다. 대처의 방향성은 해당 연구보고서를 읽어 보고 간단하게 나의 의견을 조금 더 보탠다는 생각으로 1분 30초 정도의 답변을 만들면 된다. 기술직렬이 아닌 사무행정직렬의 지원자는 경영혁신사례를 보면 한국전력공사의 올해의 주요 이슈에 대해 쉽게 알 수 있다.

16개 전략과제

① 공공기관 공직윤리 강화	⑥ 한국형 뉴딜 선도 중점	⑪ 직무중심 보수체계 도입
② 양질의 일자리 창출 지속	⑦ 경제활력 제고 마중물 역할 강화	⑫ 임금피크제 인력의 호율적 활용
③ 안전관리 체계 강화	⑧ 중소기업 규제혁신 및 기업활력 제고	⑬ 공공기관 운영 개선
④ 사회형평적 인사 운영	⑨ 혁신지향 공공조달 확대 중점	⑭ 적극행정 강화 · 소극행정 혁파
⑤ 혁신도시 활성화 등 지역상생 중점	⑩ 신기술 실증 K-테스트베드 구축 및 운영	⑮ 공공기관 운영 개선
		⑯ 알리오 · 알리오플러스 편의 강화

72개 전략과제

① 비위행위 처벌 등 제재 강화	① '1인가구 안부살핌' 전국 확대	① 전문위원 경력 활용 中쇼 지원
② 청년 일자리 지속 창출	② 대규모 해상풍력 사업 추진	② 대규모 투자사업 관리 강화
③ 에너지밸리 질적 성장 추진 등	③ 에너지 기술마켓 활성화 등	③ One-Stop 민원해결체계 구축
(총 23개 과제)	(총 33개 과제)	(총 16개 과제)

중점 과제를 중심으로 기업분석을 진행하고 실행과제 중 중요하다고 판단하여 자료에 보이는 9개 항목에서 주요 이슈를 찾으면 된다. 민감한 주제와 한전의 주요 사업과 관련 없는 주제를 정리하고 내용을 압축하면 3~4개 정도의 이슈로 정리될 수 있다. 이와 관련된 이슈에 대한 나의 생각을 정리하고 견해도 정리하면 된다.

인성면접 및 직무면접을 위한 기업분석

"저희 회사의 주요사업 중 관심 있는 것에 대해 말해 주세요."
"저희 회사를 지원하신 이유가 무엇인가요?"
"최근 저희 기관이 가지고 있는 이슈 중 인상적인 것을 말해 주세요."
"저희 기관의 미션 및 비전에 대해 말해 주세요."

간단한 형태지만 위의 내용으로 한 개 정도의 질문은 꼭 받게 된다고 생각하고 면접에 임해야 한다. 인성면접이나 직무면접이기에 긴 답변을 요구하지는 않지만 꼬리 질문이 이어진다면 구체적인 내용들에 대해 이해하지 않고서는 좋은 답변을 할 수 없다. 따라서 기업분석을 통해 30초 정도의 답변을 준비하는 것이 좋다. 대본을 만들어 외우는 것보다, 준비한 사업 분야나 활동에 대해 가이드라인을 잡고 말하는 연습을 하는 것이 좋다. 다음과 같이 문장을 구조화해서 답변을 만들어 보는 것을 추천한다.

문장 1

최근 1년 이내의 사업 중
인상적이었던 것을 어필

문장 2~3

인상적이었던 이유에 대해
구체적으로 설명

문장 4

내가 어떤 역할을 하고
싶은지 어필

문장 1	탄소중립을 2050년까지 달성하기 위해 재생에너지 발전 사업에 직접 참여하는 한국전력공사의 모습은 인상적이었습니다.
문장 2	특히 발전자회사와 민간사업자의 참여가 어려운 해상풍력, 영농 · 염전형 태양광 등 대규모 사업을 중심으로 진행되기에 발전사업 진출에 대한 사회적 동의도 충분하리라 생각합니다.
문장 3	2034년까지 신재생에너지 설비용량을 78.1GW까지 확보하기 위해선 한국전력공사의 이러한 투자가 빛을 보게 될 것입니다.
문장 4	새로운 에너지 시대에 한국전력공사의 일원으로 물가조사, 자재 구매, 공사 및 용역계약 등 계약 관련 업무에 함께 하고 싶어 지원하였습니다.(지원동기) 새로운 에너지 시대에 한국전력공사의 일원으로 물가조사, 자재 구매, 공사 및 용역계약 등 계약 관련 업무에서 성과를 만들고 싶습니다.(나머지 질문)

답변에서 논리적인 글의 표현을 확보하고 싶다면, 기관과 관련된 여러 기사를 찾아본 후 인용을 하면 더 효과적이다. 특히 중요 단어를 중심으로 대본을 만들기보다는 이 단어들을 연결하는 방법으로 연습을 하면 자연스럽게 말을 이어 나갈 수 있다. 면접은 당연 한 것을 물어보는 과정으로 진행된다. 기업에 대한 이해를 바탕으로 합리적인 답변을 만들 수 있다면 면접장에서 좋은 결과를 얻게 될 것이다.

NCS 기출 문항 학습의 중요성

글쓴이 I 윤은영(에듀윌 취업연구소 연구원)

우리는 이미 기출 문항의 중요성을 알고 있다.

우리는 매 시기마다 중요한 시험을 앞두고 항상 기출 문항을 풀어 왔다. 중고등학교 내신을 준비하면서도 몇 개년 기출 문항을 족보라는 이름으로 공유하여 풀어 보았고, 수능을 준비하면서도 역대 수능 문제를 풀었으며, 각종 자격증 시험도 기출 문항를 풀면서 자신의 취약 유형을 파악하며 해당 시험을 준비해 왔다. 우리의 학습생애주기에 기출은 그만큼 미치는 영향이 컸다. 각 기업마다 고유의 시험 스타일 또는 출제사의 고유의 스타일이 부각되면서 공사 · 공기업 NCS 직업기초능력 필기시험에서도 여전히 기출 문항의 필요성은 대두되고 있다. 그래서 주요 공기업의 채용 시험이 치러지고 난 시점부터 다음 시즌을 준비하는 학습생들의 선택은 결국 또 기출 문항 풀이이다.

기출 문항을 통해 우리가 알 수 있는 것들

기출 문항이 필수코스였던 이유를 되짚어 보자. 기출 문항을 통해 해당 시험에서 무엇이 중요한지를 파악할 수 있고, 전체적인 난이도 파악이 가능하고, 문항 유형을 패턴화할 수 있다. 또한 주어진 자료들의 성격 파악이 가능하여 다음 시즌을 대비할 수 있다. 무엇보다 기출 문항을 풀어 보면서 합격 컷과 비교하여 대략적으로라도 자신의 현 실력이 직전 시즌 기준 합격권인지에 대한 여부를 확인할 수 있는 지표로 활용될 수 있기 때문에 기출 문항에 대한 학습은 필수적이다. 또한 기출 문항을 통해 해당 기업의 출제 스타일을 확인해 볼 수 있고, 자신의 향후 학습 방향성을 설정하는 데에도 기준이 될 수 있다. 2021년 기출 트렌드를 통해 다음 시험을 대비해 볼 수 있다는 것도 큰 의미가 있다. 예를 들어 산인공에서 6년 만에 2021ver.의 NCS 매뉴얼이 새로 나왔을 때에 모듈형 문항을 출제하던 기업에서는 산인공의 예상문제를 활용하여 유사한 문항을 주로 출제하였다.

이후 모듈형 문항을 출제하는 공기업 시험을 준비하는 취준생들은 단순 모듈 내용만 암기하는 것에 그치지 않고 예상문항에 대한 학습 비중을 늘리기도 했다. 물론 상대적으로 모듈형 문항만 출제하는 기업의 비중은 줄었지만 피듈형으로 출제하는 기업이 늘어나고 있어 모듈학습 내용은 숙지하면서 PSAT형 대비까지도 해야 한다는 학습전략을 짤 수도 있었다. 또한 그 외 대부분의 기업들이 PSAT형의 문항을 출제한다는 것을 알고 난 이후부터는 대부분의 시간이 절대적으로 시간이 부족함을 알 수 있어 학습하는 데 있어 시간관리의 중요성이 대두되기도 했다. 또한 월간 NCS 10월호부터 의사소통능력, 수리능력, 문제해결능력의 출제 트렌드를 살펴보았는데, 이처럼 기출 문항을 통해 출제 트렌드를 정리하여 다음 시즌이 오기 전까지 자신만의 학습전략을 구사할 수 있다. 새롭게 추가된 유형과 지속적으로 출제되는 유형을 파악하는 것은 당연하고, 자신의 취약영역에 대한 진단이 가능해지기 때문이다.

기출 문항을 통해 우리가 확인할 것

◎ 기출 문항의 지문/자료의 소재를 확인한다.

해당 기업의 홈페이지에 들어가면 보도자료 부분을 확인해서, 지문 또는 자료에서 등장한 내용이 회사 홈페이지에 있는 내용인지 확인한다.
보통의 경우 주요 사업과 관련한 내용을 직접적으로 지문에 등장시키기도 하지만, 사업과 관련이 있는 자료를 활용하여 문항화하기도 하므로 관련성을 확인해 볼 필요가 있다.
자신이 지원을 희망하는 기업이 주요 사업, 산업과 관련한 자료를 활용하여 문항을 출제하는 경향이 보인다면, 공기업 홈페이지를 주로 살펴볼 필요가 있다.

◎ 난이도를 확인한다.

주어진 시간동안 문제를 풀었을 때 대략 몇 개 정도 정답을 맞혔는지를 확인한다. 또한 카페나 오픈채팅방에서 공유되는 합격 컷을 자신의 점수와 비교한다. 100점을 맞아야지만 합격하는 시험이 아니기 때문에 모든 문항을 풀어야 한다는 강압에서는 벗어날 수 있어야 한다. 대략적으로 합격 컷을 알았다면 전략적으로 전체 문항 중 몇 %만 정답을 맞히면 된다는 것을 고려하여 실제 시험에서 대략 어느 정도의 문항을 오류 없이 풀어 나갈 것인지 전략을 세울 수 있다. 이러한 전략을 세우기 위해서는 자신의 취약영역 또는 취약 유형에 대한 진단은 필수이다. 물론 오답에 대한 감점이 없는 기업이라면 조금 더 거침없이 문항을 풀 수 있겠지만, 중요한 것은 오답인 문제도 푸는 데 시간이 소요되었다는 점을 기억하여 최대한 자신 있는 유형부터 문항을 풀 수 있어야 한다.

◎ 신규 유형의 유무를 확인한다.

특정 기업의 시험에서 신규 유형의 문항이 출제되고 있다면 특정 출제사의 신규 유형 출제 여부를 확인해 볼 수 있다. 출제사 정보는 나라장터(www.g2b.go.kr)에서 살펴볼 수 있고, 보통 한두 시즌 전의 문항들은 쉽게 관련 서적 등에서 확인할 수 있다. 지속적으로 신규 유형의 문항이 출제되고 있는 기업의 시험을 준비하고 있다면 신규 유형을 대비하기 위해 다양한 문항을 풀어보는 것도 좋겠지만 사실상 어떠한 유형의 문항이 출제될지는 알 수 없기 때문에 기존에 상시 출제되고 있는 유형의 학습을 더욱 강화하는 것도 방법이다. 또한 신규 유형과 기존 유형의 문항풀이 순서를 변경하여 시간을 조절할 수도 있다.

◎ 자신만의 문항풀이 순서를 만든다.

기본적으로 기출 문항을 통해서 우리는 영역분리형인지 영역통합형인지 등을 알 수 있다. 분리형이라면 대체적으로 의사소통능력부터 출제가 되는데, 통합형이라면 어떠한 영역도 1번 문항으로 출제 될 수 있다.
따라서 영역 통합형의 기출 문항을 많이 풀어 볼 수 있다면 대략적으로 자신이 자신 있는 유형 또는 영역부터 접근하여 푸는 것도 하나의 학습 방법으로 생각하고 문항풀이를 해 보라고 권한다. 물론 순서대로 풀지 않았다고 해서 불합격하는 것이 아니라 점수가 미달되어서 불합격하는 것이다.
생각해 보라. OMR 카드의 대부분이 마킹되어 있다면 지원자의 문제풀이 순서를 어떻게 OMR 판독에서 구분해 낼 수 있겠는가. 그러니 최대한 많이 풀 수 있는 자신만의 전략을 구사할 수 있어야 한다.

기출 문항 어떻게 학습해야 하는가?

기출 문항을 풀어보는 것은 지금 이 시기에 권하는 주요 학습방법 중 하나이다. 물론 기출 문항 학습은 언제고 필요한 과정이기에 딱 정해진 학습시기가 있는 것은 아니다. 학습자의 상황에 따라 전략적으로 학습하면 되기 때문이다. 그러나 보통 실제 시즌이 시작되기 전 방학이라고 불리는 시기에 기출 문항을 풀어보라고 권하는 편이다. 자신이 가장 희망하는 기업의 직전 시즌 기출 문항을 풀어 보면서 자신의 준비 정도를 확인해 볼 수 있기 때문이다.

주요 기업별 기출 문항들만 선별하여 모아둔 문제집들을 통해 손쉽게 다양한 기업의 기출 문항을 학습하는 방법도 있다. 영역별로 어떠한 유형의 문제가 주로 출제되었는지, 주어진 자료의 성격은 어떠한지(단일자료/복합자료 등) 등을 정리하면서 주요 공기업의 영역별 학습전략을 짤 수 있기 때문이다. **2022 NCS 10개 영역 찐기출문제집**

주요 출제사별 기출 문항만을 선별하여 모아 둔 문제집을 통해 출제사별 대비도 가능하다. PSAT형의 기준이 되어버린 휴노의 기출 문항이 자신에게 어렵지는 않은지 등을 파악할 수 있다. 또한 특정기업의 출제사가 변경되어도 나오는 문항의 유형의 난도와 형태가 비슷하다면 어떠한 출제사가 채용시험을 대행하여도 유사하게 또 출제될 가능성이 있으니 기존 기출 문항으로 학습하는 것이 최선의 전략이 될 수도 있으므로 자신에게 맞는 학습전략을 구사해 볼 수 있어야 한다. 또한 유난히도 자신에게 어렵게 느껴지는 문항을 출제하는 출제대행사의 시험을 꼭 응시해야 하는 상황이 온다면 관련 문제집을 더 많이 풀어서 해당유형에 더 익숙해질 필요가 있다. 반대로 특정 출제사의 기출 문항을 풀었을 때 상대적으로 계속 고점이 나온다면 출제 스타일과 자신이 맞는 것일 수 있으므로 다음 시즌에 해당 출제사가 어떠한 기업을 담당하는지 등을 역으로 생각하여 해당 기업을 준비해 보는 것도 새로운 접근이 될 수 있다. **2021 6대 출제사 기출PACK**

주력하는 기업의 기본서나 봉투모의고사에서도 바로 직전 시즌의 기출 문항이 포함된다. 따라서 주력 기업이 있다면 해당 기업의 기본서, 봉투모의고사를 풀어 기출 문항을 활용하는 것도 좋은 방법이다. 다만 대부분의 취준생들이 봉투모의고사는 시험을 앞두고 자신의 실력 점검과 실전 감각을 익히기 위해 푸는 경우가 많다. 따라서 지금 이 시기에는 주력 기업의 기본서에 복원된 기출 문항 또는 기출 변형 문항으로 주력 기업에 대한 기본을 쌓아 두고, 추후 실전 대비 시에 봉투모의고사 등으로 기출 문항과 유사한 난도로 구성된 모의고사로 실전을 대비하는 것을 권한다. **2021 한국전력공사 기본서, 2021 하반기 한국전력공사 봉투모의고사**

2021년 기출 문항으로 본

문제해결능력 출제 트렌드

글쓴이 I 금혜원(에듀윌 취업연구소 연구원)

NCS 필기시험에서 수리능력이라는 산을 잘 넘겼다면, 이제는 문제해결능력이 기다리고 있을 것이다. 간단하게 말해서 문제해결능력은 주어진 문제 상황을 이해하고, 상황 안에서 원리를 찾아내고 적용하여 문제를 복합적으로 해결하는 능력이다. 크게 원리를 찾아내는 문제와 주어진 원리를 적용하는 문제가 출제되며, 시간이나 인력, 비용 등 여러 가지 수치적인 조건들을 종합해서 최적의 대안을 찾는 자원관리능력도 문제해결능력에 포함되어 출제되는 경우가 많나. 어떻게 보면 수리능력은 응용수리 분항에서 자주 출제되는 공식을 암기하고, 다양한 자료를 접하며 표와 그래프를 해석하는 연습, 효율적이고 빠르게 계산하는 연습 등을 꾸준히 하다 보면 실력을 향상시킬 수 있다.

즉 실력이 오르는 학습 방법이 명확히 정해져 있는 것이다. 그런데 문제해결능력은 '정말 시간만 충분하면 다 풀 수 있는 문제들인데.'라고 생각하는 지원자들이 분명 많을 것이다. 문제 유형과 자료가 다른 영역에 비해 다양한 만큼, 뚜렷하게 정해져 있는 학습 방법이나 요령도 없어서 가장 어려움을 느끼는 영역이 아닐까 싶다.

때문에 문제해결능력은 NCS에서 고득점으로 이어지는 영역일 뿐만 아니라 시험의 변별력을 가르는 데 큰 역할을 하고 있어서, 더더욱 철저한 대비가 필요하다. 이번 호에서도 2021년 기출 문항을 통해 문제해결능력 출제 트렌드를 분석하였다. 출제 트렌드가 반영된 기출 변형 문항들을 풀어 보면서, 자주 출제되는 문제들의 패턴을 익히고, 학습 전략과 풀이 TIP을 통해 문제해결능력에 대한 나만의 학습 전략을 잘 세워 놓을 수 있도록 하자.

고난도 PSAT형 문항의 높은 출제 비중

기본적으로 문제해결능력은 고난도 문제의 출제 비중이 높은 편이다. 더군다나 최근 국민건강보험공단, 한국철도공사 등 주요 공기업의 NCS 필기시험에서 PSAT 기출을 변형한 PSAT형의 고난도 신유형이 출제되고 있으며, 해당 유형의 비중이 계속해서 높아지고 있는 추세이다. 그렇기 때문에 출제 경향을 반영한 응용모듈의 NCS 빈출유형 문제 외에도 PSAT 기출 변형 문제를 통한 고난도 문제에 대한 대비가 반드시 필요하다. PSAT의 난도나 문제 해결의 방법이 NCS와 매우 유사하기 때문에, PSAT 기출문제와 기출 변형 문제를 통해 해당 영역을 학습하는 것도 좋은 학습 방법이 될 수 있다.

다양한 자료의 활용

문제해결능력은 다른 두 영역(의사소통능력, 수리능력)을 포괄하는 응용 영역이라고 불릴 정도로 다양한 출제 패턴을 보이는 영역이다. 그렇기 때문에 회사 내 규칙이나 지침, 법조문 등과 같은 줄글의 자료, 표/그래프/그림과 같은 도표형 자료뿐만 아니라, '글+자료형' 지문을 바탕으로 2~4문제의 묶음 문항이 출제되는 등 다양한 자료가 활용된 문제들이 출제되고 있다. 이러한 복합 자료 문항을 대비하기 위해서는 자주 출제되는 유형과 해당 유형에서 제시되는 자료에 익숙해질 필요가 있다. 따라서 빈출 유형들을 완벽히 익히고, 규정 및 지침, 도표 등 다양한 자료를 꾸준히 읽고 해석하는 능력을 길러야 한다. 또한 글, 그림, 표 등 다양한 자료를 바탕으로 자료와 조건, 정보 간의 관계를 명확히 파악할 수 있도록 도식화, 기호화하여 표현하는 연습을 하는 것이 좋다. 수리능력과 같이 문제해결능력에서도 계산 과정을 요구하는 문항이 다수 출제되므로 계산 연습도 꾸준히 해야 하는데, 정확한 계산 값을 도출해야 하는 경우가 많으므로 계산 실수를 하지 않도록 주의해야 한다.

문제해결능력, 어떠한 학습 전략이 필요한가?

사실 대부분의 수험생들은 다량의 문제를 풀어 보면서, 혹은 해당 영역에 취약한 경우 기본서로 이론과 풀이 전략을 익힌 후, '문제 양치기 방식'으로 시험을 준비하고 있을 것이다. 물론 다량의 문제를 풀어보는 것은 중요하다. 다량의 문제 풀이 학습을 통해 자주 출제되는 문제 유형들의 패턴을 익힐 수 있고, 문제 풀이 속도도 향상될 수 있기 때문이다. 그러나 단순히 문제를 많이 풀기보다는 정해진 시간 내에서 복잡한 자료와 조건을 빠르게 파악하고 답을 찾을 수 있도록 학습하는 것이 중요하다. 따라서 고난도 문제를 정해진 시간 내에 풀어 보면서 답을 찾는 정확도를 높이는 훈련을 꾸준히 할 수 있어야 한다. 또한 PSAT 기출문제 및 기출 변형 문제 등 난도가 높은 문제들을 많이 풀어 보면서 자신만의 문제해결 방법과 스킬도 함께 숙지해 놓는 것이 좋다.

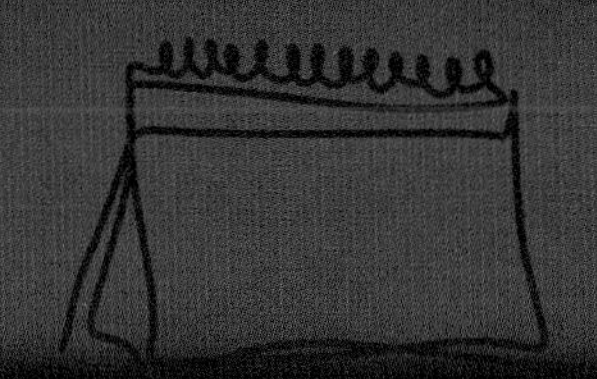

2021년 상반기 코레일 오전

풀이시간 1분 30초

※ 기출복원 정보를 활용하여 재구성한 문제입니다.

Z 씨는 특정 질환으로 인하여 며칠간 약을 복용하였다. Z 씨가 약을 복용하는 [조건]이 다음과 같을 때, 옳지 않은 것을 고르면?

Z씨가 복용한 약은 A~E이고, A~E약의 복용 정보는 다음과 같다.

약 종류	총 복용 횟수	복용 시점	함께 복용할 수 없는 약	우선순위
A	2회	식후	B, C, E	3
B	4회	식후	A, C	1
C	3회	식전	A, B	2
D	3회	식전	–	5
E	4회	식후	A	4

- 약은 매일 아침식사, 점심식사, 저녁식사 식전/식후로 1일 총 6회 복용하였다.
- 1회당 최대 2개의 약을 복용하였다.
- 함께 복용할 수 없는 약은 같은 식사 시점 전후에 복용할 수 없다.
- 약을 가장 처음 복용한 시점은 첫째 날 아침 식사 식전 또는 식후이다.
- 아침식사, 점심식사, 저녁식사 각각 매 회마다 우선순위에 따라 약을 복용하며, 최대한 빠르게 모든 약을 복용하였다.

① E약은 매회 다른 약과 함께 복용하였다.
② Z 씨가 가장 먼저 복용을 완료하는 약은 D이다.
③ Z 씨는 2일 차에 총 4가지 종류의 약을 복용하였다.
④ Z 씨가 가장 마지막에 복용을 완료하는 약은 A이다.
⑤ Z 씨는 3일 안에 모든 약을 복용할 수 있다.

| 정답해설 |

Z 씨가 매 회마다 복용한 약을 정리하면 다음과 같다.

구분	아침		점심		저녁	
	식전	식후	식전	식후	식전	식후
1일차	D	B, E	D	B, E	D	B, E
2일차	–	B, E	C	–	C	–
3일차	C	–	–	A	–	A

1일 차 아침 식후에 1순위인 B약을 복용한다. 2순위인 C약과 3순위인 A약은 B약과 함께 복용할 수 없으므로 4순위인 E약을 아침 식후에 B약과 함께 복용한다. 5순위인 D약은 B, E약과 함께 복용할 수 있으므로 아침 식전에 복용한다. 우선순위에 따라 최대한 빠르게 약을 복용하므로 1일 차 아침, 점심, 저녁 식전에는 D약을, 식후에 B, E약을 복용한다. 이때 D약은 복용 횟수가 3회이므로 1일 차 저녁 식전에 복용이 완료된다.

2일 차 아침 식후에 1순위인 B약을 복용하고, 아침 식전에는 복용할 수 있는 약이 없으므로 아침 식후에 B, E약을 복용한다. 이때 B, E약은 복용 횟수가 4회이므로 2일 차 아침 식후에 복용이 완료된다.
남은 A약과 C약은 함께 복용할 수 없으므로 우선순위가 더 높은 C약을 먼저 복용해야 한다. C약은 복용 횟수가 3회이므로 2일 차 점심 식전, 저녁 식전, 3일 차 아침 식전에 복용한다. 마지막으로 A약은 3일 차 점심 식후, 저녁 식후에 복용하여 3일 만에 모든 약의 복용을 완료한다.

따라서 Z 씨는 2일 차에 B, E, C 총 3가지 종류의 약을 복용하였으므로 옳지 않다.

| 오답해설 |

① E약은 매회 B약과 함께 복용하므로 옳다.
② D약은 1일 차 저녁 식전에 가장 먼저 복용이 완료되므로 옳다.
④ A약은 3일 차 저녁 식후에 가장 마지막으로 복용이 완료되므로 옳다.
⑤ 3일 차 저녁 식후에 모든 약의 복용이 완료되므로 옳다.

| 정답 | ③

풀이 TIP

제시된 조건을 바탕으로 결론을 도출할 수 있는지, 이에 따라 선택지 내용의 옳고 그름을 판단할 수 있는지 묻는 유형이다. 따라서 각 조건의 내용을 정확히 파악하여 문제를 풀이해야 한다. 먼저 각 조건을 빠르게 훑어본 후, 결론을 도출하는 데 있어서 명확한 단서가 되는 조건 또는 관련 있는 내용의 조건끼리 묶어 정리해 나가면서 문제를 해결할 수 있도록 한다.

2021년 상반기 국민건강보험공단

풀이시간 1분 30초

※ 기출복원 정보를 활용하여 재구성한 문제입니다.

다음은 A카드사의 자동이체 할인 혜택에 관한 자료이다. 갑과 을의 통신요금 할인 혜택 및 연회비 내역에 대환 대화가 [보기]와 같을 때, 옳은 설명을 고르면?(단, 두 사람 모두 3개월 전부터 A카드를 사용하였으며, M사 통신요금 자동이체를 신청하였다.)

A카드 통신요금 자동이체 할인 서비스

• M사 통신요금 자동이체 시 전월 실적에 따라 청구 할인

전월 이용 실적	1구간(30만 원 이상 70만 원 미만)	2구간(70만 원 이상)
할인금액	12,000원	17,000원

- 최초 카드 사용 등록일로부터 다음 달 말일까지는 A카드 전월 이용 실적이 없는 경우에도 1구간(전월 이용 실적 30만 원 이상 70만 원 미만)에 해당하는 할인 서비스가 적용됩니다.
- 할인금액보다 자동이체 승인금액이 적을 경우 승인금액만큼 할인 적용됩니다.
- M사 통신요금 자동이체 승인 건이 여러 건인 경우 합산하여 월 할인금액 내에서 할인됩니다.
- 해당 청구할인 서비스는 자동이체 등록된 통신요금이 당사에 청구되는 시점부터 적용되며, A카드로 이동 통신요금, IPTV, 스카이 라이프, 인터넷 이용료, 전화요금, 국제전화의 M사 유선상품 등 M사 통신요금 자동이체 시에만 제공됩니다.(가입자 명의 무관)
- 카드 수령 후 M사 고객센터에서 자동이체를 별도로 신청하시기 바랍니다.

• 연회비 청구와 반환 안내

A-World 타입	국내외겸용
15,000원(기본 연회비 7,000원+제휴 연회비 8,000원)	

- 초회/차기연도 연회비 면제 조건은 없습니다.
- 연회비 반환 기준: 회원이 유효기간이 도래하기 전에 카드를 해지한 경우, 연회비 반환금액은 계약을 해지한 날부터 일할 계산하여 산정하며, 10영업일 이내에 반환처리 됩니다. 부가 서비스 제공 내역 확인에 시간이 소요되는 등의 불가피한 사유로 10영업일 이내에 반환하기 어려운 경우, 계약을 해지한 날부터 3개월 이내에 반환할 수 있습니다. 이 경우 회원이 이미 납부한 연회비에 반영된 다음의 비용은 반환금액 산정 시 공제됩니다.
  ① 카드의 발행 및 배송 등 카드 발급(신규 발급)에 소요된 비용
  ② 카드 이용 시 제공되는 추가적인 혜택(기프트 제공 비용) 등 부가 서비스 제공에 소요된 비용

| 보기 |

• 갑: 내 통신요금 자동이체 승인금액은 15,000원이야. 나는 IPTV와 전화요금으로 25,000원이 청구되었고, 지난 달 A카드 이용 실적이 75만 원이었어.

• 을: 나는 국내외겸용 A카드의 유효기간이 3분의 2 경과 후 카드를 해지했으며, 카드 발행, 배송 및 부가 서비스에 소요된 비용이 3,000원으로 정산되었어.

① 을은 최초 납부한 연회비의 10% 미만을 반환받게 된다.
② 갑의 통신요금과 을의 연회비 실 납부액 합계는 21,000원이다.
③ 갑의 지난 달 A카드 전월 이용 실적이 10만 원 더 적었다면, 갑의 통신요금 실 납부액은 을의 연회비 실 납부액과 동일하다.
④ A카드의 유효기간이 5분의 1이 경과한 후 을이 카드를 해지하였다면, 을의 연회비 반환액과 연회비 실 납부액의 금액 차이는 3,000원 미만이다.

| 정답해설 |

• 갑: A카드 전월 실적이 2구간(70만 원 이상)인 경우이므로 17,000원의 할인 혜택이 적용된다. 이때 통신요금 자동이체 승인금액이 15,000원으로 할인금액 17,000원보다 적으므로 15,000원만큼만 할인이 적용된다. 따라서 25,000−15,000=10,000(원)의 통신요금을 납부해야 한다.

• 을: 연회비가 15,000원이고 유효기간이 3분의 2 경과하였으므로 잔여기간인 3분의 1에 해당하는 $15,000\times\frac{1}{3}=5,000$(원)이 반환되어야 한다. 이때 카드 발행, 배송 및 부가 서비스에 소요된 비용은 공제되어야 하므로 5,000−3,000=2,000(원)의 연회비가 반환되고, 연회비 실 납부액은 15,000−2,000=13,000(원)이다.

갑의 A카드 전월 이용 실적이 10만 원 더 적었다면 75−10=65(만 원)으로 전월 실적 1구간(30만 원 이상 70만 원 미만)에 해당한다. 이에 따라 할인금액은 12,000원으로 25,000−12,000=13,000(원)의 통신요금을 납부해야 한다. 따라서 갑의 통신요금 실 납부액과 을의 연회비 실 납부액은 13,000원으로 동일하므로 옳다.

| 오답해설 |

① 을은 최초 납부한 연회비 15,000원의 10%인 1,500원이 넘는 2,000원을 반환받게 되므로 옳지 않다.
② 갑의 통신요금은 10,000원이고, 을의 연회비 실 납부액은 13,000원이므로 갑과 을의 실 납부액 합계는 10,000+13,000=23,000(원)이므로 옳지 않다.
④ 유효기간이 5분의 1이 경과한 후 카드를 해지했다면 잔여기간인 5분의 4에 해당하는 $15,000\times\frac{4}{5}=12,000$(원)에서 부가 서비스에 소요된 비용 3,000원을 공제하면 12,000−3,000=9,000(원)의 연회비가 반환되고, 연회비 실 납부액은 15,000−9,000=6,000(원)이다. 따라서 연회비 반환액과 연회비 실 납부액의 금액 차이는 9,000−6,000=3,000(원)이므로 옳지 않다.

| 정답 | ③

풀이 TIP

해당 유형은 각종 문서 또는 자료의 내용을 해석하여 문제를 해결하는 형태로 출제된다. 해당 유형을 풀 때는 자료의 처음부터 끝까지 모두 읽기보다는 문제를 해결하는 데 필요한 부분만 발췌하여 풀이하는 연습을 할 수 있도록 한다. 또한 제시되는 자료의 형태가 다양하므로 되도록 많은 형태의 자료가 제시된 문제를 접해 보는 것이 좋다.

2021년 상반기 한국전력공사

풀이시간 1분

※ 기출복원 정보를 활용하여 재구성한 문제입니다.

다음 [표]는 김 씨가 난방비를 절약하기 위해 설치하려고 하는 태양열 집열기 A~E의 성능에 관한 자료이다. 김 씨가 현재 사용하고 있는 보일러의 열량 소비량은 월 3,000MJ이다. 한 달 동안 절약되는 난방비가 두 번째로 큰 태양열 집열기를 설치한다고 할 때, 한 달 난방비가 얼마인지 고르면?(단, 한 달은 30일로 가정하며, 한 달 동안 흐린 날은 없었다고 가정한다.)

[표] 태양열 집열기별 성능

구분	총집열면적	집열기 효율
A	11m²	75%
B	9m²	75%
C	10m²	80%
D	12m²	65%
E	12m²	60%

※ 난방비(원)=(열량 소비량×난방 단가)−(열량 생산량×난방 단가)
※ 난방 단가: 15원/MJ
※ 일일 열량 생산량(MJ/일)=일일 전국평균일사량×총집열면적×집열기효율
※ 일일 전국평균일사량: 12MJ/m²

① 1,260원
② 1,550원
③ 1,800원
④ 2,140원
⑤ 2,880원

| 정답해설 |

한 달 동안 절약되는 난방비는 (한 달 열량 생산량×난방 단가)이므로 태양열 집열기 A~E가 한 달 동안 생산하는 열량 생산량은 다음과 같다.

- A: 12×11×0.75×30=2,970(MJ)
- B: 12×9×0.75×30=2,430(MJ)
- C: 12×10×0.8×30=2,880(MJ)
- D: 12×12×0.65×30=2,808(MJ)
- E: 12×12×0.6×30=2,592(MJ)

A~E 중 A가 2,970MJ로 가장 많은 열량을 생산하고, C가 2,880MJ로 두 번째로 큰 열량을 생산하므로 김 씨는 C를 설치한다. 따라서 C의 한 달 난방비는 (3,000×15)−(2,880×15)=1,800(원)이다.

| 정답 | ③

풀이 TIP

해당 유형은 한국전력공사 시험에서 매회 출제되는 유형에 속한다. 각주에 제시된 조건을 빠짐없이 확인하여 계산 값을 도출할 수 있어야 하고, 요금 계산법은 충분한 연습을 통해 익숙해질 수 있는 유형이므로 반드시 숙지해 두도록 한다.

월간 NCS는

매달 최신 채용 트렌드와
100% 새 문항으로
여러분의 합격을 응원합니다.

I

NCS
영역별 문항

취약 영역 진단 30제

한국철도공사, 한국전력공사, 국민건강보험공단, 한국수력원자력, 한국수자원공사, 5대 발전소, 3대 교통공사 등 대표 공기업의 필기시험 문항에 따라 영역별 최신 출제 유형 및 기출복원 정보를 활용하여 재구성한 문항을 학습할 수 있도록 구성하였습니다.

01	의사소통능력	✓	05	자기개발능력	☐	09	조직이해능력	✓
02	수리능력	✓	06	정보능력	✓	10	직업윤리	☐
03	문제해결능력	✓	07	기술능력	☐			
04	자원관리능력	✓	08	대인관계능력	✓			

의사소통능력

난이도 ★★★☆☆

01 다음 글의 내용과 일치하는 것을 고르면?

1999년 미래학자 스탠 데이비스가 처음 사용한 용어인 '빅블러(Big Blur)'는 기술 간 융합을 통해 이종 사업 간의 경계가 사라지는 현상을 말한다. 대표적으로 과거 전화 통화만 가능하던 휴대전화 기능에 카메라와 음악 재생 기능을 넣은 스마트폰이 등장하면서 디지털카메라나 MP3플레이어와의 경계가 무너졌다. 이러한 빅블러 현상의 핵심은 업의 확장이다. 업을 확장하기 위해서는 상이한 업종 기업 간의 연합이 필수적인데, 이때 기준으로 삼아야 할 지향점으로 크게 스마트화, 친환경화, 서비스화 세 가지를 언급할 수 있다.

먼저 스마트화는 데이터, 네트워크, AI로 요약되는 ICT의 진보로, 스마트폰, 5G, 이커머스 등의 기술과 함께 우리 삶의 방식을 바꿔 놓은 것을 말한다. 상대적으로 제품의 수명주기가 길고 누적성이 높은 기계 산업 등 제조업 역시 ICT와의 융합을 통해 효율성을 제고하고 부가가치를 높임으로써 산업적 기회를 얻고 있다. 또한 친환경화는 글로벌 환경 규제와 더불어 주력 산업들의 지속가능성을 위해 논의가 부상하고 있는 지향점이다. 탄소 저감이나 친환경 소재 기술은 더 이상 특정 산업만의 연구 주제가 아니며, 더욱 높은 수준의 환경 규제는 기술 간 새로운 방식의 접목을 유도할 수 있다. 서비스화는 제조 과정뿐 아니라 유통, 판매, 유지보수 등 전 주기에서 무형의 가치를 창출하는 것을 말한다. 기존에 완성된 컴퓨터 제품을 판매하던 기업이 컴퓨팅 관련 컨설팅이나 소프트웨어 솔루션 등의 서비스 부문에 집중하거나, 역으로 기존의 서비스 산업에 실물 산업과의 연계를 모색하는 것을 예로 들 수 있다.

이와 같은 빅블러 현상은 크게 '기술융합'과 '산업융합'으로 구분된다. 또한 이것을 다시 각각 '가치창출형'과 '가치제고형'으로 구분함으로써 총 네 가지 유형으로 분류할 수 있다. 먼저 '기술융합–가치창출형'은 기술혁신으로 기존 한계를 뛰어넘는 유형을 의미하며, 완전자율주행 기술을 대표적인 사례로 들 수 있다. 센서 및 반도체 소재 기술과 인공지능을 통한 상황 인지·판단 기술뿐 아니라 도로 정보와 차량 간 소통·제어 기술을 결합하여 이전에 구현하지 못한 기술적 지향점을 가능하게 한 것이다. 반면 '기술융합–가치제고형'은 기존 제품의 가치를 새롭게 제고하는 유형으로, 석유화학 공정 기술을 바탕으로 생분해성을 감안한 바이오 생산 기술을 융합한 바이오 플라스틱 기술이 이에 해당한다. 다음으로 '산업융합–가치창출형'은 이종 산업 간 제품 또는 서비스 융합을 통해 새로운 수요를 발견해 시장을 창출하는 유형이다. 코로나19에 따라 매출이 대폭 감소한 영화관 업계가 스포츠나 오페라를 상영하는 등 타 영역의 콘텐츠를 접목한 것을 예로 들 수 있다. 마지막으로 '산업융합–가치제고형'은 산업 간 융합을 통해 기존 시장을 강화하는 유형이다. 코로나19로 언택트 라이프스타일이 일상으로 자리 잡으며 기존 소매와 요식 업계가 물류 업계와 배달업과 융합해 기존 시장이 한층 더 강화된 것으로 이 유형을 설명할 수 있다.

① 기술융합과 산업융합 빅블러는 시장 창출의 유무에 따라 다시 세부적으로 나뉜다.
② 스마트화를 통한 빅블러는 ICT 산업 간의 융합에 한정하여 이루어질 수 있다.
③ 새로운 제품이 기존 제품의 가치를 뛰어넘었다면 기술융합–가치제고형 빅블러에 해당한다.
④ 성공적인 빅블러를 위해서는 이종 사업 간의 경쟁이 필수적이다.
⑤ 빅블러에서 친환경화는 특정 산업에서만 요구되는 지향점이다.

난이도 ★★★☆☆

02 다음 글을 읽고 빈칸 ㉠~㉢에 들어갈 말을 적절하게 짝지은 것을 고르면?

우리나라에서의 인구 고령화는 너무나 급속하게, 그리고 대규모로 진행되고 있다. 2020년부터 10년 동안 새로 65세에 도달하여 생산연령에서 이탈하게 되는 사람만 하더라도 770만 명을 넘을 전망이다. 우리 사회는 2018년에 이미 고령사회로 진입한 바 있으며, 초고령사회로 진입하는 해는 2025년으로 전망된다. 이는 어떤 나라도 일찍이 경험해 보지 못했을 정도의 빠른 속도이다. 이에 따라 이제까지 여러 나라들에서 비교적 서서히 진행되는 고령화 과정에서 서로 구분되어 완만하게 나타났던 여러 현상들이 한국에서는 서로 뒤엉키고 비틀어진 형태로 나타날 수 있을 뿐만 아니라 급작스레 등장할 가능성도 매우 높다. 즉 고령화로 인한 여러 현상들의 출몰 시기와 구체적인 모습을 가늠하기 어려운 것이다. 이는 우리가 맞이하는 고령시대에 대한 전반적인 대비를 더 이상 늦출 수 없게 하는 절박한 이유이다.

대규모 고령인구가 유례없이 짧은 기간 동안에 갑자기 등장함에 따라 이들을 복지지출 등 현재의 방식을 통해서만 모두 흡수하는 것은 사실상 불가능하다. 다시 말해 한국의 고령화 문제를 노동시장 밖에서 해결하려는 시도는 성공하기 어렵다. 가급적 이들의 노동시장 이탈을 늦추도록 하여 노동시장 내에서 스스로 근로소득을 얻어 자신들의 생활을 영위할 수 있도록 하는 것이 바람직하다. 이를 기본으로 하고 복지를 비롯한 각종 다른 차원의 노력이 여기에 추가되어야 할 것이다.

고령화 문제를 주로 노동시장 내에서 해결한다는 것은 곧 고령인력들의 고용을 확보하여야 함을 의미한다. 노동력은 고용을 통해 근로소득을 얻을 수 있는데, 이는 노동을 수요하는 입장에서 볼 때 산출물을 생산하여 이윤을 얻기 위해 치러야 하는 노동비용에 해당한다. 따라서 고령인력이라고 하더라도 노동시장에서 고용을 확보하여 근로소득을 얻기 위해서는 그에 해당하는 만큼의 가치를 기업에 창출해 줘야 한다. 만약 양자 간에 괴리가 발생하게 되면 그러한 고용은 더 이상 계속될 수 없게 된다. 고용이 소멸되는 것이다.

그런데 고령인력의 고용을 효과적으로 확보하기 위해서는 이들이 고령자가 되기 이전부터 노력을 기울여야 한다. 왜냐하면 고령자가 되기 이전에 생애의 주된 일자리에서 이탈하게 되면 재취업이 어려울 뿐만 아니라 재취업하더라도 고용이 불안하고 임금수준이 훨씬 낮아져 근로빈곤과 노인빈곤으로 이어질 가능성이 커지기 때문이다. 주된 일자리에서 이탈하지 않고 고용을 계속 유지하기 위해서는 역시 그 일자리에서 받는 수준의 임금만큼의 가치를 창출해야 한다. 즉 근로자의 (㉠)과 (㉡)이/가 (㉢)하도록 하여야 한다.

	㉠	㉡	㉢
①	고용기간	고용량	불일치
②	근로소득	생산성	일치
③	고용기간	고용량	일치
④	근로소득	생산성	불일치
⑤	근로소득	노동수요	일치

빠른 문항풀이

빈칸에 들어갈 말을 찾아서 넣는 유형의 문제를 풀 때에는 주어진 빈칸의 앞뒤 부분의 문맥을 파악한 후 관련 키워드를 찾는 것이 중요하다. 이 문제의 경우 지문의 핵심 내용을 요약한 내용이 빈칸에 들어가야 하는데, '즉'이라는 접속어를 통해 빈칸 바로 앞 문장에서 같은 의미를 나타내고 있음을 확인할 수 있다. 따라서 '일자리에서 받는 수준의 임금만큼 가치를 창출해야 한다.'라는 문장만으로도, '근로소득과 생산성이 일치'되어야 함을 추론할 수 있다.

난이도 ★★★★☆

03 다음 글을 읽고 [가]~[라]를 '유래 - 과정 - 대처법'의 순서에 맞게 배열한 것을 고르면?

[가] 이러한 행위가 계속되면 피해자는 이러한 심리적 학대에 익숙해지면서 가해자의 생각에 동조하게 된다. 그리고 자신의 모든 것을 의심하면서 점차 자존감을 잃으며, 스스로 정확한 판단을 내리는 능력을 상실하여 일상생활에 지장이 생기게 된다. 특히 이 과정에서 피해자는 가해자에 의해 사회적으로 고립되어 우울증을 겪는 경우도 발생하는데, 심할 경우 외상 후 스트레스 장애(PTSD)를 겪기도 한다.

[나] 가스라이팅 가해자는 피해자의 기억을 지속적으로 반박하거나 실수를 과장하는 왜곡을 통해 피해자가 스스로를 의심하게 만든다. 또한 피해자의 요구나 감정을 하찮게 여기는 경시 행위나 실제로 발생한 일을 잊은 척 하거나 부인하는 망각 행위를 지속한다. 예를 들어 가해자는 "너는 너무 예민해.", "너 때문에 발생한 문제야.", "너의 기억은 잘못된 거야." 등의 말을 반복하며 피해자의 말을 듣기를 거부하거나 피해자의 생각을 무시한다.

[다] 가스라이팅(Gas-lighting)은 타인의 심리나 상황을 교묘하게 조작하여 그 사람이 스스로를 의심하게 만들어 타인에 대한 지배력을 강화하는 행위이다. 이 용어는 1938년 작가 패트릭 해밀턴이 연출한 연극 「가스등(Gas Light)」에서 처음 등장하였다. 연극은 남편이 아내의 재산을 노리고 속임수와 거짓말을 통해 아내를 정신착란으로 몰고 간다는 내용으로, 연극 제목은 곧 남편이 아내에게 가하는 정신적 학대를 상징한다. 이후 정신분석가이자 심리치료사인 로빈 스턴이 2007년에 처음으로 가스라이팅에 대한 개념을 정립하여 가스라이팅은 정신적 학대를 일컫는 심리학 용어로 사용되기 시작하였다.

[라] 전문가들은 스스로 피해자라는 사실을 자각한다면 얼마든 가스라이팅 상황에서 벗어날 수 있다고 말한다. 우선 피해자 스스로가 자신이 가스라이팅을 당하고 있는 것은 아닌지 의심해 보고, 그렇다는 생각이 들면 상대와 거리를 두는 것이 중요하다는 것이다. 거리두기가 이루어졌다면 상황을 보다 객관적으로 볼 수 있는 제3자나 조력자에게 피해 사실을 알리고 도움을 받으며 자존감을 회복하고 삶에 대한 뚜렷한 주인의식을 되찾는 과정이 필요하다.

① [나] - [다] - [라] - [가]
② [다] - [나] - [가] - [라]
③ [다] - [라] - [나] - [가]
④ [라] - [가] - [다] - [나]
⑤ [라] - [나] - [다] - [가]

난이도 ★★☆☆☆

04 다음 글의 내용과 일치하지 않는 것을 고르면?

말을 타는 모든 운동을 칭하는 '승마(乘馬)'는 올림픽 정식종목 중 동물이 함께 참여하는 스포츠로 남녀 구분이 없이 대결을 펼치는 유일한 종목이기도 하다. 올림픽에서는 크게 말을 다루는 기술을 심사하는 '마장마술'과 장애물을 뛰어넘는 실력을 심사하는 '장애물비월', 이 두 가지가 함께 펼쳐지는 '종합마술'의 세 종목이 진행된다. 살아 숨 쉬는 생명체인 말과 함께하는 스포츠인 승마의 경기력은 사람과 말의 호흡이 좌우한다. 이 때문에 사람과 말 사이에는 섬세하고 다양한 심리적 교감이 필요하다.

승마의 기본자세는 옆에서 봤을 때 골반을 이루는 궁둥뼈 결절(Ischial Tuberosity)이 무게 중심이 되고, 머리와 어깨, 허리, 발꿈치가 일직선 위에 있으며 어깨, 등, 허리는 이완된 자세이다. 고삐를 잡는 손은 엄지손가락이 위를 향하도록 주먹을 쥐어 고삐를 잡고, 위팔은 약간 굽히고 팔꿈치관절, 아래팔, 주먹을 쥔 손, 고삐가 수평이 되도록 하여 말이 움직이는 동안에도 그 자세를 유지해야 한다.

말은 발이 4개이기 때문에 발이 2개인 인간과는 다른 방법으로 걷거나 뛰게 된다. 말의 다양한 걸음걸이의 형태를 보법이라 한다. 말의 보법은 크게 평보, 속보, 구보, 습보로 구분할 수 있다. 평보는 분당 110m 정도 움직이는 평상시 걸음걸이로, 오른쪽 앞다리, 왼쪽 뒷다리, 왼쪽 앞다리, 오른쪽 뒷다리 순으로 4박자에 맞춰 진행되는 기본 보법이다. 속보는 분당 220m를 움직이는 빠른 걸음걸이로 대각선상의 두 다리가 동시에 움직여 2박자로 진행되는 보법이다. 구보는 분당 320m 움직이는 뜀박질로 우구보의 경우 왼쪽 뒷다리, 오른쪽 뒷다리와 왼쪽 앞다리, 오른쪽 뒷다리 순으로 진행되는 3박자 보법이며, 좌구보는 이와 반대로 진행된다. 마지막 습보는 분당 990m를 이동하는 전력질주로 앞쪽과 뒤쪽의 양 다리가 함께 접근했다가 떨어져서 벌어지는 4박자로 진행된다.

승마에서는 말의 보행속도가 빨라질수록 말을 탄 사람의 운동 강도도 함께 증가하는 경향을 보인다. 말의 보행형태별 승마의 운동 강도를 측정한 연구에 따르면, 평보는 대걸레 청소, 요트타기, 시속 5km로 달리기 등과 비슷한 정도의 중강도 운동이지만, 속보와 구보는 테니스 단식게임, 축구, 농구시합, 시속 7~9km로 달리기 등과 비슷한 고강도 운동에 해당한다.

승마에서 말을 탄 사람은 얼핏 편하게 앉아 있는 것으로 보이지만 실제로는 말이 편하게 걷거나 달릴 수 있도록 말의 움직임에 맞춰 골반을 움직이면서 말에서 떨어지지 않도록 균형을 유지하는 등 온몸을 조절하는 일이 필요하다. 전신 근육의 섬세한 협응 작용을 필요로 하는데, 평소 사용하지 않는 근육과 관절까지 사용하는 전신운동으로 근력 강화와 체력 증진에 효과적인 운동수단이 된다. 특히 승마는 상당히 많은 에너지를 소모하기 때문에 비만 예방 및 치료에 매우 효과적이다. 승마는 전신 근육이 사용되면서 에너지 소비량이 많은데, 조깅이나 수영보다 2배 이상의 칼로리를 소비하는 것으로 알려져 있다. 실제 국내외 다양한 연구에서 승마는 복부의 내장지방과 체지방률 감소에 상당한 도움이 되는 것으로 나타나고 있다.

① 속보 시 말의 오른쪽 앞다리와 왼쪽 뒷다리는 동시에 움직인다.
② 말이 달릴 때도 아래팔부터 고삐까지의 수평 상태를 유지해야 한다.
③ 같은 시간 동안 조깅보다 승마를 하면 더 많은 칼로리를 소모할 수 있다.
④ 말이 구보를 할 때보다 평보를 할 때 말을 탄 사람의 운동 강도가 높다.
⑤ 올림픽 종합마술에서는 말을 다루는 기술과 장애물을 뛰어넘는 실력을 함께 심사한다.

난이도 ★★★☆☆

05 다음 글을 읽고 빈칸에 들어갈 내용으로 가장 적절한 것을 고르면?

> 구독경제란 용어는 미국의 기업용 결제 및 정산 솔루션 기업 주오라(Zuora)의 창립자 티엔 추오(Tien Tzuo)가 처음 썼다. 그는 구독경제를 '제품 판매가 아니라 서비스 제공을 통해 반복적인 매출을 창출하고, 고객은 구매자에서 구독자로 전환하는 산업 환경'이라고 정의했다. 구독경제는 '반복'과 '선불'이라는 특징을 갖고 있다. 소비자가 일정 금액을 정기적으로 선지급하고 그 기간 동안 상품 또는 서비스를 소비하는 것이다.
>
> 구독 서비스는 무제한 이용형, 정기배송형, 렌탈형 등 크게 3가지로 나눌 수 있다. 무제한 이용형은 월 구독료를 내면 무제한으로 이용할 수 있는 형태로 음원과 영상 스트리밍 서비스(OTT), 전자책 구독 서비스가 대표적이다. 정기배송형은 지정된 날짜에 생활필수품을 정기적으로 공급받는 형태이다. 화장품, 꽃, 면도날, 생리대, 식료품 등 다양한 생필품, 기호품으로 정기배송이 확대되고 있다. 렌탈형은 자동차나 생활가전, 명품가방 등 비교적 고가의 제품을 매월 비용을 내고 빌려 쓰는 형태이다. 구독경제는 소비자에게 상대적으로 낮은 비용에 다양한 경험을 할 수 있게 해 준다. 가령 차량 구독의 경우 한 달 구독료를 내면 2~6종의 차를 타볼 수 있다. 신차를 구매하기 전 선호 차량을 결정하는 용도로 유용하다. 이와 같은 구독경제는 기술 발전과 함께 진화했다. 방문판매와 우편, 전화 등 오프라인 기반의 멤버십 모델이 모바일로 바뀌면서 접근성이 크게 높아진 것이 가장 큰 변화이다. 디지털 기술의 발달로 데이터 전송 속도가 높아지면서 과거처럼 비디오를 소장하거나 다운로드받을 필요가 없이 스트리밍을 받는 방식으로 콘텐츠 이용이 바뀌었다. (   )
>
> 경제가 저성장 기조로 들어선 점도 구독경제 확산을 재촉한다. 미국에서 구독경제가 유행하게 된 시기는 2008년 금융위기 이후이다. 긱 이코노미(Gig Economy) 확산으로 소득 안정성이 떨어지자 한 번에 고액을 지출하기보다 필요할 때 사용하고 그만큼만 지불하는 소비 행태가 유행하기 시작했다. 특히 과거 세대보다 불황에 익숙하고 수축적인 소비 성향을 보이는 밀레니얼 세대를 중심으로 구독경제가 본격적으로 인기를 끌기 시작했다. 이들에게는 소유보다 '접속'하고 '사용'해 '경험'하는 것이 더 익숙하다. 비혼가구, 저출산, 1인가구 증가로 이런 성향은 더 강해졌다. 최근에는 코로나19 여파로 대면 서비스에 대한 심리적 부담으로 온라인 중심의 언택트 소비가 늘면서 구독경제는 더 탄력을 받고 있다. 구독형 방역 서비스도 인기다.
>
> 디지털 형태로 제공되는 구독 서비스의 경우 일단 큰 비용을 내 많은 콘텐츠를 확보하고 관련 인프라를 구축해야 하는데, 그 후에는 추가적인 서비스를 제공하는 데 드는 비용이 거의 '0'에 가깝다. 일단 충분한 구독회원을 확보하고, 이들이 떠나지 못하도록 '잠금효과'를 얻으면 이후엔 수익이 급상승한다. 구독으로 바꾸면 한 번의 판매로 끝나지 않고, 고객을 구독자로 전환해 반복적이고 안정적인 수익을 얻을 수 있다. 거래가 주로 온라인으로 이뤄지고 관리되면서 관련 데이터를 쌓아 추가적인 상품 서비스 개발에 유용하게 쓸 수 있다.

① 즉 소유에서 경험으로 소비 철학이 변화한 것이다.
② 다만 국내에서는 모빌리티 분야의 구독경제에 대해 논란이 있다.
③ 단순한 생활방식을 추구하는 이런 흐름을 국내 기업도 뒤쫓고 있다.
④ 즉 자신이 필요 없는 경우 다른 사람에게 빌려 주는 공유소비의 의미를 담고 있다.
⑤ 하지만 이젠 일상에 필요한 거의 모든 제품과 서비스를 구독으로 이용할 수 있다.

난이도 ★★★☆☆

06 다음 글을 읽고 밑줄 친 상황을 나타내는 한자 성어로 가장 적절한 것을 고르면?

> 사람들은 누구나 무엇인가를 경험합니다. 하지만 무엇인가를 경험하지 못한 사람이 실수를 하기도 하죠. 만약 여러분들이 어떠한 일에서 실수를 했다고 가정한다면, 어떠한 행동을 보일까요? 그 일을 자주 겪었다면 그 실수를 바로잡을 수 있을 것이지만, 그 일을 자주 겪지 못했다면 아마도 여러분들은 <u>어찌할 바를 모르고 당황할 것입니다</u>.

① 동분서주(東奔西走)
② 망지소조(罔知所措)
③ 은인자중(隱忍自重)
④ 백난지중(百難之中)
⑤ 초미지급(焦眉之急)

NCS 빈출개념

- '당황'과 관련된 한자 성어
  - 망지소조(罔知所措): 너무 당황하거나 급하여 어찌할 줄을 모르고 갈팡질팡함.≒방황실조(彷徨失措)
  - 낙탕방해(落湯螃蟹): 끓는 물에 떨어진 방게가 허둥지둥한다는 뜻으로, 몹시 당황함을 형용하는 말.
  - 임갈굴정(臨渴掘井): 목이 말라야 우물을 판다는 뜻으로, 평소에 준비 없이 있다가 일을 당하여 허둥지둥 서두름을 이르는 말.
- '신중'과 관련된 한자 성어
  - 은인자중(隱忍自重): 마음속에 감추어 참고 견디면서 몸가짐을 신중하게 행동함.
  - 물경소사(勿輕小事): 작은 일도 가볍게 여기지 말라는 뜻으로, 사소한 일이라 하더라도 신중하게 대처하라는 의미.
  - 화생어홀(禍生於忽): 화는 소홀한 데서 생긴다는 뜻으로, 신중하고 세심한 삶을 영유해야 함을 강조하는 말.

[07~08] 다음 글을 읽고 질문에 답하시오.

[가] 식물에서 나아가 1971년 미국 캘리포니아 공대의 시모어 벤저 교수와 그의 제자는 초파리에서 일주기 리듬을 관여하는 '피리어드(Period) 유전자'를 발견했다. 이후 1990년대 후반에는 포유류의 일주기 리듬에 관여하는 유전자가 발견되면서 이들 생체시계가 유전자들이 구성하는 '분자네트워크'에 의해 조절된다는 사실이 밝혀졌다. 분자네트워크란 유전자 또는 유전자 산물(단백질 또는 RNA), 그리고 분자물질과의 상호작용 체계를 말한다. 이런 일주기 리듬의 메커니즘 규명 연구를 수행한 세 연구자는 2017년 노벨 생리의학상을 수상하기도 하였다.

[나] 1792년에 천문학자 드 메랑은 낮에 잎을 펼치고 밤에는 다시 접는 식물인 미모사를 이용해 한 실험을 진행하였다. 실험 결과, 미모사는 어둠 속에서도 낮 시간대가 되면 잎을 펼치고 밤 시간대에는 접는 패턴을 이어 갔다. 태양의 존재와 관계없이 식물이 24시간을 주기로 생리활성을 조절한다는 사실을 발견한 것이다. 24시간의 주기를 가지고 나타나는 이러한 생리학적 반응을 '일주기 리듬'이라고 한다.

[다] 그렇다면 해가 지지 않는 극지방의 백야는 인간에게 어떤 영향을 줄까? 미국 알래스카에 거주하는 사람들은 불규칙한 일광 노출로 더 많은 수면 장애를 겪는다는 연구 결과가 있다. 낮이 길어지면 우리의 뇌에서는 멜라토닌은 적게, 세로토닌은 많이 생성된다. 2005년 정신의학연구 저널에는 과도한 세로토닌의 분비가 자살과 유의한 관계를 보이고 있어 이것이 여름철 그린란드 자살률 증가의 원인으로 지적된 연구가 발표되기도 했다. 그뿐만 아니라 국제암연구소(IARC)의 연구에 따르면 간호사, 경찰 등 교대근무가 잦아 수면시간이 불규칙한 직업군에서 그렇지 않은 직업군에 비해 암에 걸릴 위험도가 1.48배에 달한다고 발표했다. 즉 다양한 질병은 일주기 리듬과 관련이 있는 것이다.

[라] 일주기 리듬이 질환과 질병에 영향을 미칠 수 있다 보니 이를 치료에 활용하기도 한다. 국내의 경우 처방을 받아야 하지만 외국에서는 멜라토닌을 수면보조제나 시차증후군을 완화하기 위한 보조제로 쉽게 구입할 수 있다. 또한 비만이나 당뇨병과 같은 대사질환이나 혈압과 같은 일주기 리듬과 그 연관성이 크다고 알려져 있는 질환의 처방에 이용하기도 한다. 혈압의 변동이 큰 오전은 수면하는 동안 저하된 혈압과 체온이 상승하는 시간이다. 이 시기에는 다른 시간대에 비해 심장마비가 빈번히 발생하는데 대사질환 치료제의 주요 분자 표적 인자들은 분자 생체시계와 직접적으로 작용하기 때문에 일주기 조절 시스템을 이해한 투약 방법이 좋은 효과를 보일 수 있다.

[마] 인간의 몸 역시 24시간의 주기로 혈압, 호르몬 분비, 체온, 대사, 수면 패턴 등의 리듬을 가지고 있다. 이와 같은 인간의 일주기 리듬은 45억 년 전 지구가 생성되고 지구의 자전에 의해 낮과 밤이 생긴 이후로 낮 동안 광합성으로 인해 산소가 발생하고, 이 산소에 적응하면서 만들어진 생물의 적응 체계로 해석된다. 산소는 우리 몸의 호흡과 세포의 노화에 영향을 미치기 때문이다. 실제로 우리는 잠을 자는 동안 더 많은 양의 항산화물질을 만들어 낸다. 특히 수면 유지 호르몬인 멜라토닌은 스트레스 해소에도 관여하며 강력한 항산화 작용으로 낮 동안 몸에 쌓인 활성산소를 제거한다.

난이도 ★★★★☆

07 다음 중 [가]~[마]를 문맥의 흐름에 맞게 배열한 것을 고르면?

① [가] – [다] – [라] – [마] – [나]
② [나] – [가] – [마] – [다] – [라]
③ [나] – [마] – [다] – [가] – [라]
④ [라] – [가] – [다] – [나] – [마]
⑤ [라] – [마] – [나] – [다] – [가]

난이도 ★★☆☆☆

08 주어진 글을 이해한 내용으로 옳지 않은 것을 고르면?

① 포유류의 일주기 리듬은 특정 유전자 관련 체계에 의해 조절된다.
② 멜라토닌은 깨어 있을 때보다 잠자고 있을 때 더 활발히 분비된다.
③ 식물은 태양의 유무에 따라 생리활성 조절 주기를 변경한다.
④ 오후 시간대보다 오전 시간대에 심장마비가 발생할 확률이 높다.
⑤ 불규칙한 수면 시간은 암 발생 위험률을 증가시킬 수 있다.

수리능력

난이도 ★★★☆☆

01 A, B 두 사람이 상품 1개를 만드는 데 필요한 시간은 다음 [조건]과 같다고 한다. 상품 1개를 만드는 데 A 혼자서 일하면 a일이 걸리고, B 혼자서 일하면 b일이 걸린다고 할 때, $a+b$의 값을 고르면?

조건

- A, B 두 사람이 3일 동안 함께 일한 후 A 혼자서 2일 동안 일하면 상품 1개를 만들 수 있다.
- A, B 두 사람이 2일 동안 함께 일한 후 B 혼자서 4일 동안 일하면 상품 1개를 만들 수 있다.

① 16
② 17
③ 18
④ 19
⑤ 20

단계별 접근방법

1. 작업량의 식은 다음과 같다.
   작업량=시간당 작업량×시간
2. 시간당 작업량은 다음과 같이 구한다.
   시간당 작업량$=\frac{\text{작업량}}{\text{시간}}$
   이에 따라 A가 하루 동안 일할 수 있는 작업량은 $\frac{1}{a}$, B가 하루 동안 일할 수 있는 작업량은 $\frac{1}{b}$이다.
3. 제시된 [조건]에 따라 식을 세우면 다음과 같다.
   $\left(\frac{1}{a}+\frac{1}{b}\right)\times 3+\frac{1}{a}\times 2=1$
   $\left(\frac{1}{a}+\frac{1}{b}\right)\times 2+\frac{1}{b}\times 4=1$

난이도 ★★★☆☆

02 **김 대리를 포함한 전략팀 직원 4명과 홍보팀 직원 3명이 다음 [조건]에 따라 4인승 승용차 두 대에 나눠 타려고 한다. 이때 승용차에 탑승하는 방법의 수를 고르면?**(단, 승용차 2대는 서로 구분된다.)

조건
• 전략팀은 2명씩 짝을 이루어 탑승하고, 옆자리에 앉는다. • 김 대리가 탑승한 차는 빈자리 없이 4명이 모두 앉는다.

① 1,302가지 ② 2,304가지 ③ 2,306가지
④ 2,308가지 ⑤ 2,310가지

난이도 ★★★★☆

03 **신 계장은 사내 전화번호인 2345－5678과 회사 영어 이름인 'eduall'을 이용하여 다음과 같은 [조건]을 바탕으로 사무실 와이파이 비밀번호를 만들려고 한다. 신 계장이 만들 수 있는 비밀번호의 개수를 고르면?**

조건
• 비밀번호는 앞 4자리는 숫자, 뒤 4자리는 알파벳을 나열하여 총 8자리의 비밀번호를 만든다. • 숫자 5를 2개 사용할 경우 5가 연달아 나오게 비밀번호를 만든다. • 알파벳 l을 2개 모두 사용하며, l과 l 사이에 모음 2개가 들어가게 비밀번호를 만든다.

① 5,020개 ② 5,280개 ③ 5,580개
④ 5,800개 ⑤ 5,820개

난이도 ★★★☆☆

04 정 차장은 필요한 상품 2,000개를 다음과 같은 조건으로 구매하려고 한다. A~D 업체의 할인을 반영한 최종 금액에서 가장 큰 금액과 가장 작은 금액의 차를 고르면?

<table>
<tr><th rowspan="2">구분</th><th rowspan="2">개당
상품 단가</th><th>대량 구매 시 할인</th><th rowspan="2">탁송비</th></tr>
<tr><th>각 업체에서 배송지까지의 거리</th></tr>
<tr><td rowspan="2">A 업체</td><td rowspan="2">4,000원</td><td>• 2,000개 이상 구매 시 탁송비 무료, 주유비 무료</td><td rowspan="2">• 기본: 13만 원
• 주유비 별도
(1km당 1,500원)</td></tr>
<tr><td>• 250km</td></tr>
<tr><td rowspan="2">B 업체</td><td rowspan="2">4,200원</td><td>• 1,000개 이상 구매 시 100개 무료 제공, 탁송비 무료
(단, 주유비 별도)</td><td rowspan="2">• 기본: 10만 원
• 주유비 별도
(1km당 1,200원)</td></tr>
<tr><td>• 200km</td></tr>
<tr><td rowspan="2">C 업체</td><td rowspan="2">4,000원</td><td>• 200만 원을 초과하는 상품 금액에 대하여 5% 할인</td><td rowspan="2">• 기본: 18만 원
(주유비 포함)</td></tr>
<tr><td>• 200km</td></tr>
<tr><td rowspan="2">D 업체</td><td rowspan="2">4,000원</td><td>• 500개마다 탁송비를 포함한 총금액의 1%씩 할인
(예 1,600개 구매 시 탁송비를 포함한 총금액의 3% 할인)</td><td rowspan="2">• 기본: 10만 원
• 주유비 별도
(1km당 1,000원)</td></tr>
<tr><td>• 300km</td></tr>
</table>

① 198,400원 ② 200,000원 ③ 220,200원
④ 290,000원 ⑤ 340,000원

난이도 ★★★☆☆

05 **다음 [그래프]와 [표]는 연도별 1분기 구인 및 채용인원과 연도별 전년 대비 1분기 구인 및 채용증가인원에 대한 자료이다. 이를 바탕으로 '21. 1/4분기 미충원인원율을 고르면?**(단, 계산 시 소수점 둘째 자리에서 반올림한다.)

[그래프] 연도별 1분기 구인 및 채용인원 (단위: 천 명)

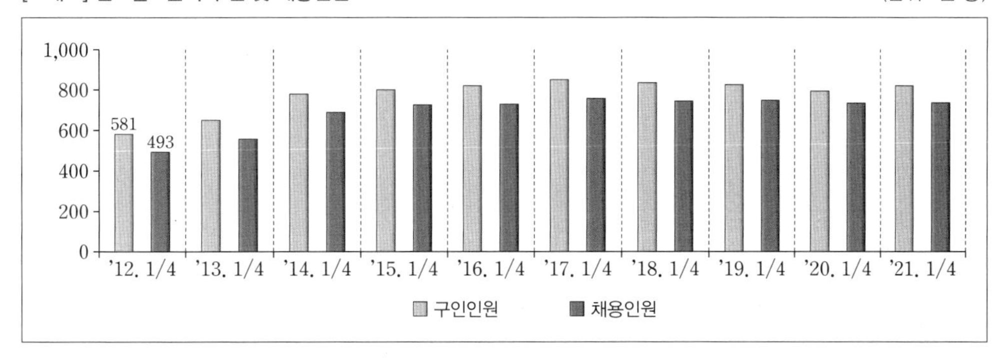

[표] 연도별 전년 대비 1분기 구인 및 채용증가인원 (단위: 천 명)

구분	'13. 1/4	'14. 1/4	'15. 1/4	'16. 1/4	'17. 1/4	'18. 1/4	'19. 1/4	'20. 1/4	'21. 1/4
구인 증가 수	69	129	21	20	30	−16	−9	−32	27
채용 증가 수	64	132	37	3	28	−13	4	−14	2

※ 미충원인원=(구인인원−채용인원)

※ 미충원인원율(%)$=\frac{\text{미충원인원}}{\text{구인인원}}\times 100$

① 7.0%
② 7.8%
③ 8.6%
④ 9.4%
⑤ 10.2%

[06~07] 다음 [표]는 건축허가 및 착공통계에 대한 자료이다. 이를 바탕으로 질문에 답하시오.

[표1] 동 수별 · 연면적별 건축허가현황 (단위: 동, m^2)

구분			2018. 03.	2019. 03.	2020. 03.	2021. 03.
동 수별	합계		24,023	20,725	20,306	22,058
	구조별	철근 및 철골조	21,666	18,613	18,177	19,570
		조적조	866	705	662	768
		목조	1,139	1,042	1,029	1,285
		기타	352	365	438	435
	용도별	주거용	8,223	7,639	6,431	8,156
		상업용	5,933	5,882	6,179	7,601
		공업용	1,427	1,229	1,337	1,469
		교육 및 사회용	715	695	817	678
		기타	7,725	5,280	5,542	4,154
연면적별	합계		14,284,527	13,087,098	12,050,921	15,173,135
	구조별	철근 및 철골조	14,088,458	12,924,035	11,887,059	14,790,727
		조적조	57,042	48,117	49,265	66,230
		목조	107,847	94,256	90,512	123,199
		기타	31,180	20,690	24,085	192,979
	용도별	주거용	4,865,006	4,911,563	3,701,165	5,135,024
		상업용	3,833,877	3,311,943	3,354,102	4,093,200
		공업용	1,569,411	1,384,294	1,736,045	1,515,167
		교육 및 사회용	922,108	704,010	743,965	905,892
		기타	3,094,125	2,775,288	2,515,644	3,523,852

[표2] 동 수별 · 연면적별 건축착공현황

(단위: 동, m^2)

구분			2018. 03.	2019. 03.	2020. 03.	2021. 03.
동 수별	합계		21,552	17,351	17,704	19,076
	구조별	철근 및 철골조	19,712	15,643	16,027	17,270
		조적조	505	375	353	268
		목조	1,100	981	907	1,104
		기타	235	352	417	434
	용도별	주거용	8,627	6,593	6,119	7,482
		상업용	4,739	4,348	4,419	5,235
		공업용	1,335	1,205	1,282	1,401
		교육 및 사회용	484	481	421	582
		기타	6,367	4,724	5,463	4,376
연면적별	합계		13,431,681	10,659,525	12,300,748	13,154,816
	구조별	철근 및 철골조	13,246,006	10,126,517	11,956,820	12,983,029
		조적조	27,205	18,881	16,117	13,499
		목조	107,345	92,460	79,636	100,586
		기타	51,125	421,667	248,175	57,702
	용도별	주거용	5,654,651	3,486,945	3,311,909	4,589,718
		상업용	3,143,518	2,813,243	3,895,442	2,994,861
		공업용	1,033,950	1,516,378	1,634,466	1,636,264
		교육 및 사회용	571,819	481,340	499,500	666,586
		기타	3,027,743	2,361,619	2,959,431	3,267,387

난이도 ★★★★☆

06 위의 자료에 대한 설명으로 옳지 않은 것을 고르면?(단, 계산 시 소수점 첫째 자리에서 반올림한다.)

① 건축허가가 내려진 건축물에서 2021. 03. 동 수는 2018. 03. 대비 약 8% 감소했지만 연면적은 약 6% 증가하였다.
② 조사 기간 동안 매년 철근 및 철골조 구조의 건축물이 건축허가가 내려진 건축물의 80% 이상을 차지한다.
③ 건축착공현황에서 2021. 03. 건축물의 동 수당 평균 연면적은 약 690m^2/동이다.
④ 건축착공현황에서 2019. 03.의 교육 및 사회용 건축물의 동 수당 평균 연면적은 전년 대비 크다.
⑤ 주거용, 상업용, 공업용, 교육 및 사회용 건축물에서 건축허가 건축물의 동 수 대비 건축착공 건축물의 동 수 비율이 100%가 넘는 것은 2018. 03.의 주거용뿐이다.

난이도 ★★★★★

07 2021. 08. **건축허가 건축물의 동 수가** 2021. 03. **대비** 10% **증가하고, 연면적은** 2020. 03. **대비** 20% **증가했다고 할 때,** 2021. 08.**의 동 수당 평균 연면적의 값을 고르면?**(단, 계산 시 소수점 첫째 자리에서 반올림한다.)

① 589m^2/동
② 596m^2/동
③ 600m^2/동
④ 604m^2/동
⑤ 609m^2/동

문제해결능력

난이도 ★★☆☆☆

01 다음 [조건]을 바탕으로 옳지 않은 것을 고르면?

| 조건 |

- A 회사의 추석 상여금 지급 대상은 130명이다.
- 1차 투표에서 투표할 경우 추석 2주 전에, 2차 투표에서 투표할 경우 추석 1주 전에 상여금이 지급된다.
- 남사원의 40%, 여사원의 70%가 1차에 투표하였다.
- 추석 2주 전에 상여금을 지급받는 사람의 수는 추석 1주 전에 상여금을 지급받는 사람의 수보다 2명이 더 적다.

① 남사원의 수는 80명이다.
② 1차에 투표한 남사원의 수는 36명이다.
③ 2차에 투표한 여사원의 수는 12명이다.
④ 2차에 투표한 사원의 수는 총 66명이다.
⑤ 2주 전에 상여금을 지급받는 사원의 수가 1주 전에 상여금을 지급받는 사원의 수보다 2명 많아지려면 남사원의 40%, 여사원의 75%가 1차에 투표해야 한다.

빠른 문항풀이

옳지 않은 것을 고르는 문제이므로 선택지 중 4개는 맞는 선택지이다. ⑤의 경우, 계산이 복잡하므로 ②, ③, ④ 중 하나를 대입하여 역으로 문제를 계산하여도 빠르게 해결이 가능하다.

난이도 ★★☆☆☆

02 다음 [조건]을 바탕으로 A~E의 소속 부서를 옳게 짝지은 것을 고르면?

조건

- A~E는 모두 다른 부서로 영업부, 마케팅부, 재무부, 기획부, 홍보부 소속이다.
- 5개의 부서가 사용하는 부서는 5층짜리 건물로, 1개의 부서가 1개의 층을 사용한다.
- 기획부는 짝수층에 위치하고 있고, 영업부는 홀수층에 위치하고 있다.
- A~E 중 B보다 높은 층에서 일하는 사람과 낮은 층에서 일하는 사람의 수는 같다.
- 마케팅부는 기획부보다 낮은 층에 있다.
- A는 가장 높은 층에서 일하고, 가장 낮은 층에는 재무부가 있다.
- C는 D보다 높은 층에서 일하지만 E보다 낮은 층에서 일한다.
- A는 영업부가 아니다.

① A – 재무부 ② B – 마케팅부 ③ C – 홍보부
④ D – 기획부 ⑤ E – 기획부

빠른 문항풀이

A~E의 부서와 부서의 위치를 모두 유추해야 한다. 조건을 보고 보다 쉽게 알아낼 수 있는 것을 먼저 확인해야 한다.

난이도 ★★★☆☆

03 갑은 백화점의 각 층에서 물건을 하나씩 구매하였다. 각 층의 쇼핑만족도 점수의 합을 고르면?

- 백화점은 1~5층으로, 각 층에서 의류, 완구류, 운동용품, 식품류, 도서류를 판매한다.
- 갑은 백화점에서 티셔츠, 장난감 기차, 탁구채, 냉동만두, 소설책을 구매하였으며, 갑의 쇼핑만족도는 다음과 같다.

구분	의류	완구류	운동용품	식품류	도서류
구매 품목	티셔츠	장난감 기차	탁구채	냉동만두	소설책
쇼핑만족도	8	10	7	9	6

- 완구류는 3층에서 구매하였다.
- 운동용품은 짝수층에서 구매하였다.
- 티셔츠는 냉동만두보다 높은 층에서 구매하였고, 소설책보다 낮은 층에서 구매하였다.
- 소설책을 구매할 수 있는 층에서 장난감 기차를 구매할 수 있는 층이 티셔츠를 구매할 수 있는 층보다 가깝다.
- 각 층의 쇼핑만족도 점수는 구매자의 쇼핑만족도에 층별로 가중치를 곱하여 계산한다.

구분	1층	2층	3층	4층	5층
층별 가중치	0.1	0.3	0.2	0.15	0.25

① 7.55점 ② 7.65점 ③ 7.75점
④ 7.85점 ⑤ 7.95점

빠른 문항풀이

쇼핑만족도 점수의 총합은 각각의 쇼핑만족도 점수를 모두 더한 값이며, 각각의 쇼핑만족도 점수는 갑의 쇼핑만족도에 층별 가중치를 곱하여 계산한다.

[04~05] 다음은 화재대처요령에 관한 안내이다. 이를 바탕으로 질문에 답하시오.

1. 발화초기의 안전조치

화재 발생 시 최초 발견자는 큰 소리로 "불이야"를 외치거나 비상벨을 눌러 화재 사실을 알리고, 즉시 소화작업에 임한다. 소화작업 중 연기에 질식하거나 불길에 갇히는 일이 없도록 하고 소화약제는 화염이나 연기에 방사하는 것이 아니라 화원에 방사해야 한다. 초기에 소화가 되지 않은 경우 미루지 않고 즉시 소방관서에 화재신고를 한다.

2. 피난유도 및 대피요령

가. 피난유도

- 건물 구조에 익숙한 사람이 적절한 피난유도를 한다.
- 건물 내부에는 두 개 이상의 피난통로를 설치하여 유사시에 충분히 활용할 수 있도록 한다.
- 평소 피난통로의 확보와 피난유도 훈련을 철저히 실시한다.
- 피난유도 시에는 큰 소리로 외치는 것보다 차분하고 침착하게 행동한다.

나. 대피요령

- 문에 손을 대어 온도를 확인한 후 문밖에 연기와 화기가 없다고 생각이 들 때에는 어깨로 문을 떠받친 다음 문쪽의 반대방향으로 고개를 돌리고 숨을 멈춘 후 조심해서 문을 열고 대피한다.
- 연기 속을 통과하여 대피할 때에는 수건 등을 물에 적셔서 입과 코를 막고 숨을 짧게 쉬며 낮은 자세로 엎드려 신속하게 대피한다.
- 고층건물이나 복합, 지하상가 화재 시에는 안내원의 지시에 따르거나 통로의 유도등을 따라 낮은 자세로 침착하고 질서 있게 대피한다.
- 피난시설 및 피난기구 없이 아래층으로 대피할 때는 커튼 등으로 줄을 만들어 타고 내려간다.
- 아래층으로 대피가 불가능할 때에는 옥상으로 대피하여 구조를 기다려야 하며 반드시 바람을 등지고 구조를 기다린다.
- 화염을 통과하여 대피할 때에는 물에 적신 담요 등을 뒤집어쓰고 신속히 안전한 곳으로 대피한다.
- 고층건물 화재 시 엘리베이터에 갇힐 수 있고, 엘리베이터 통로가 굴뚝 역할을 할 수 있으므로 절대로 엘리베이터를 이용해서는 안 된다.

다. 불이 난 건물 내에 갇혔을 때의 조치요령

- 건물 내에 화재발생으로 불길이나 연기가 주위까지 접근하여 대피가 어려울 때에는 무리하게 통로나 계단 등을 통하여 대피하기보다는 건물 내에서 안전조치를 취한 후 화기나 연기가 없는 창문을 통해 소리를 지르거나 물건 등을 창밖으로 던져 갇혀 있다는 사실을 외부로 알린다.
- 연기가 새어들어 오면 낮은 자세로 엎드려 담요나 타올 등에 물을 적셔 입과 코를 막고 짧게 호흡을 한다.
- 실내에 물이 있으면 불에 타기 쉬운 물건에 물을 뿌려 불길의 확산을 지연시킨다.
- 화상을 입기 쉬운 얼굴이나 팔 등을 물에 적신 수건 또는 두꺼운 천으로 감싸 화상을 예방한다.
- 아무리 위급한 상황일지라도 반드시 구조된다는 신념을 가지고 기다려야 하며 창밖으로 뛰어 내리거나 불길이 있는데도 함부로 문을 열어서는 안 된다.
- 연기가 이동하는 속도는 수평방향으로 1초에 약 1~2m 정도로 보통 사람이 걷는 속도와 같고, 수직방향으로 상승하는 속도는 1초에 약 3~5m 정도이다. 그러므로 화재 시 막혀 있는 장소의 높은 곳은 극히 위험하다.

3. 소화기의 적응화재
- A급 화재(일반화재): A급 화재용은 백색바탕의 원에 A 일반화재용이라고 표시되어 있다. 목재, 섬유류, 종이, 고무, 플라스틱 등과 같이 타고 난 후에 재가 남는 화재를 말하며 보통화재라고도 한다.
- B급 화재(유류 및 가스화재): B급 화재용은 황색바탕의 원에 B 유류화재용이라 표시되어 있다. 인화성 액체와 가연성 가스 등에서 발생한 타고난 후에 재가 남지 않는 화재를 말한다.
- C급 화재(전기화재): C급 화재용은 청색바탕의 원에 C 전기화재용이라 표시되어 있다. 전기설비에서 발생한 화재를 말한다.

4. 소화기 사용요령
1) 소화기를 불이 난 곳으로 옮긴다.
2) 손잡이 앞쪽의 안전핀을 힘껏 뽑는다.
3) 불이 난 곳을 정확히 보고 다가가서 사용한다. 불에 너무 가까이 가는 경우 화상을 입을 수 있으므로 주의한다.
4) 소화기 사용 시 바람을 등지고 호스를 불쪽으로 향한다.
5) 손잡이를 힘껏 쥐고, 불을 향해 빗자루를 쓸듯이 골고루 분사한다.

난이도 ★☆☆☆☆

04 다음 중 화재대피요령으로 알맞은 것을 고르면?

① 피난시설 및 피난기구 없이 아래로 대피할 때는 커튼 등을 밖으로 던진 뒤 그 위로 뛰어내린다.
② 피난 유도 시 큰소리로 "불이야"를 외쳐 모든 사람들이 지시에 잘 따를 수 있도록 해야 한다.
③ 건물 내부에서 질식하는 경우가 많고, 화기로 문이 열리지 않을 수 있으므로 불이 나면 즉시 문을 열고 대피해야 한다.
④ 불이 나는 경우 옥상으로 대피하기보다 가능한 한 낮은 층으로 대피해야 한다.
⑤ 바깥으로 대피하여 구조를 기다리는 경우 불길을 등지고 있어야 한다.

난이도 ★★★☆☆

05 다음 [상황]에서 A의 행동으로 잘못된 것을 고르면?

| 상황 |

회사에서 근무하던 A는 전기제품이 많이 꽂혀 있는 먼지 쌓인 멀티탭에서 스파크가 튀면서 불이 붙는 모습을 목격하였다. A는 ㉠즉시 비상벨을 눌러 화재사실을 알리고 ㉡청색바탕의 원에 C가 적힌 소화기를 불이 난 곳으로 옮긴 뒤 ㉢손잡이 앞쪽의 안전핀을 뽑아 화염을 향해 골고루 분사하였다. 그래도 불길이 잡히지 않아 ㉣손수건을 물에 적셔서 입과 코를 막고 숨을 짧게 쉬며 낮은 자세로 엎드려 ㉤1층까지 이어진 통로의 유도등을 따라 계단을 통해 1층으로 대피하였다.

① ㉠ ② ㉡ ③ ㉢
④ ㉣ ⑤ ㉤

난이도 ★★★☆☆

06 다음은 A국의 층간소음 관련 법령이다. 층간소음으로 고통받고 있는 갑이 층간소음을 신고하여 기관에서 조사를 하였다. 조사결과가 다음 [상황]과 같을 때, 갑이 받을 수 있는 최대 배상 금액은 얼마인지 고르면?

제2조(층간소음의 범위) 공동주택 층간소음의 범위는 입주자 또는 사용자의 활동으로 인하여 발생하는 소음으로서 다른 입주자 또는 사용자에게 피해를 주는 다음 각 호의 소음으로 한다. 다만, 욕실, 화장실 및 다용도실 등에서 급수·배수로 인하여 발생하는 소음은 제외한다.
1. 직접충격 소음: 뛰거나 걷는 동작 등으로 인하여 발생하는 소음
2. 공기전달 소음: 텔레비전, 음향기기 등의 사용으로 인하여 발생하는 소음

제3조(층간소음의 기준) 공동주택의 입주자 및 사용자는 공동주택에서 발생하는 층간소음을 아래 [표]에 따른 기준 이하가 되도록 노력하여야 한다.

[표] 층간소음의 기준

층간소음의 구분		층간소음의 기준	
		주간(06:00 ~ 22:00)	야간(22:00 ~ 06:00)
1. 직접충격 소음	1분간 등가소음도(Leq)	43dB(A)	38dB(A)
	최고소음도(Lmax)	57dB(A)	52dB(A)
2. 공기전달 소음	5분간 등가소음도(Leq)	45dB(A)	40dB(A)

○ 층간소음 배상 기준금액: 수인한도 중 하나라도 초과 시

피해기간	피해자 1인당 배상 기준금액
6개월 이내	500,000원
6개월 초과 1년 이내	650,000원
1년 초과 2년 이내	800,000원

○ 배상금액 가산기준
(1) 주간 혹은 야간에 최고소음도와 등가소음도가 모두 수인한도를 초과한 경우에는 30% 이내에서 가산
(2) 최고소음도 혹은 등가소음도가 주간과 야간에 모두 수인한도를 초과한 경우에는 30% 이내에서 가산
(3) 피해자가 환자, 1세 미만 유아, 수험생인 경우에는 해당 피해자 개인당 20% 이내에서 가산
(4) 위 가산기준을 2개 이상 충족하는 경우 각 가산비율을 합산한 값을 적용한다. 예를 들어 등가소음도가 주간과 야간에 모두 수인한도를 초과하였고 피해자가 수험생이라면 30+20=50(%)를 적용한다.

상황
갑은 자신과 아내, 환자인 어머니와 수험생인 딸, 5세의 아들과 함께 거주하고 있다. 위층 이웃이 이사 온 9개월 전부터 갑과 갑의 가족은 층간소음에 시달리기 시작하여 이웃을 층간소음으로 신고하는 지경에 이르렀다. 층간소음 조사결과 21:00부터 24:00까지 쿵쿵대며 걷는 소리의 1분간 등가소음도가 45dB(A), 텔레비전 소리의 5분간 등가소음도가 48dB(A), 21:30에 걷는 소리의 최고소음도가 50dB(A)로 측정되었고, 22:40에 화장실 물소리로 최고소음도가 55dB(A), 텔레비전 소리의 최고소음도가 23:00에 48dB(A)로 측정되었다. 위층에서는 배상기준에 따라 갑의 가족에게 배상금액을 지불하였다.

① 4,225,000원
② 4,485,000원
③ 4,615,000원
④ 4,875,000원
⑤ 5,460,000원

난이도 ★★★★☆

07 C시에 살고 있는 A는 혼자 B시에 여행을 가서 B시의 유명한 음식과 후식을 먹어 보고자 한다. 다음 [조건]에 따라 A가 B시의 음식과 후식을 먹었다고 할 때, A가 음식과 후식을 구매하기 위해 결제한 금액을 고르면?

조건

- A는 아침 식사 - 아침 후식 - 점심 식사 - 점심 후식 - 저녁 식사 - 저녁 후식 순으로 음식을 먹는다.
- 중복되는 음식은 다시 먹지 않으며, 해당 끼니에서 가장 저렴한 음식을 먹는다.
- 후식도 음식과 동일하게 중복되는 것은 먹지 않으며, 해당 끼니에서 가장 저렴한 것을 먹는다.

[B시의 유명 음식별 가격]

구분	정가	할인 조건
비빔밥	9,000원	점심 15% 할인
텐동	10,000원	저녁 30% 할인
삼계탕	11,000원	상시 20% 할인
칼국수	8,000원	2인 이상 방문 시, 30% 할인
돈가스	7,000원	–

[B시의 유명 후식별 가격]

구분	정가	할인 조건
떡 세트	7,000원	아침, 저녁 30% 할인
과일빙수	8,000원	점심 20% 할인
마카롱 세트	6,000원	B시 거주자 20% 할인
팥죽	5,000원	상시 15% 할인
치즈 케이크	4,000원	–

① 33,800원 ② 34,800원 ③ 35,800원
④ 36,800원 ⑤ 37,800원

빠른 문항풀이

식사별로 음식, 후식의 가격을 기재하여 가장 저렴한 음식이 무엇인지 찾는다. 아침 가격을 먼저 계산한 후, 점심 가격 계산 시에는 아침에 먹은 음식과 후식은 제외하고 계산한다. 마찬가지로 저녁 가격 계산 시에는 아침과 점심에 먹은 음식과 후식은 제외하고 계산한다.

난이도 ★★★★★

08 **진희는 빨간 장미, 노란 장미, 흰색 장미를 교배하여 새로운 색의 장미를 만들려고 한다. 다음을 바탕으로 진희가 가지고 있는 장미들을 세 번 교배하였을 때 항상 옳지 않은 것을 [보기]에서 모두 고르면?**(단, 첫 번째 교배에서 만든 색의 장미를 두 번째 교배에 이용할 수 있고, 첫 번째 교배에 이용하였던 색을 두 번째 교배에 또 이용할 수 있다.)

진희는 현재 빨간 장미, 노란 장미, 흰색 장미를 가지고 있다. 각 장미들은 진희가 인위적으로 교배하는 경우에만 교배가 가능하다. 교배 시 만들 수 있는 모든 색의 장미를 만들 수 있다.
빨간 장미, 노란 장미, 흰색 장미를 같은 색끼리 교배하는 경우 해당 색의 장미만 만들 수 있다.
주황색 장미를 같은 색끼리 교배하는 경우 빨간색 장미, 노란색 장미, 주황색 장미를 만들 수 있고, 분홍색 장미를 같은 색끼리 교배하는 경우 빨간색 장미, 분홍색 장미, 흰색 장미를 만들 수 있고, 연노란색 장미를 같은 색끼리 교배하는 경우 노란색 장미, 연노란색 장미, 흰색 장미를 만들 수 있다.
흰색 장미를 빨간색 장미와 교배하는 경우 분홍색 장미를 만들 수 있고, 노란색 장미와 교배하는 경우 연노란색 장미를 만들 수 있다.
흰색 장미를 분홍색 장미와 교배하는 경우 분홍색 장미와 흰색 장미를 만들 수 있고, 연노란색 장미와 교배하는 경우 연노란색 장미와 흰색 장미를 만들 수 있고, 주황색 장미와 교배하는 경우 분홍색 장미와 연노란색 장미를 만들 수 있다.
빨간색 장미를 노란색 장미와 교배하는 경우 주황색 장미를 만들 수 있고, 분홍색 장미와 교배하는 경우 빨간색 장미와 분홍색 장미를 만들 수 있고, 연노란색 장미와 교배하는 경우 주황색 장미와 분홍색 장미를 만들 수 있고, 주황색 장미와 교배하는 경우 빨간색 장미와 주황색 장미를 만들 수 있다.
노란색 장미를 연노란색 장미와 교배하는 경우 노란색 장미와 연노란색 장미를 만들 수 있고, 분홍색 장미와 교배하는 경우 주황색 장미와 연노란색 장미를 만들 수 있고, 주황색 장미와 교배하는 경우 노란색 장미와 주황색 장미를 만들 수 있다.
분홍색 장미를 연노란색 장미와 교배하는 경우 주황색, 분홍색, 연노란색, 흰색 장미를 만들 수 있고, 주황색 장미와 교배하는 경우 빨간색, 주황색, 분홍색, 연노란색 장미를 만들 수 있다.
연노란색 장미가 주황색 장미와 교배하는 경우 노란색, 주황색, 분홍색, 연노란색 장미를 만들 수 있다.

보기

㉠ 세 번의 교배로 빨강, 노랑, 흰색을 포함한 주어진 모든 색의 장미를 만들어 낼 수 있다.
㉡ 서로 다른 색의 장미를 한 번 교배 시 적어도 두 가지 색상의 장미를 만들어 낼 수 있다.
㉢ 서로 다른 색의 장미끼리만 교배 가능한 경우 흰색 장미를 만들기 위해서는 적어도 세 번의 교배가 필요하다.

① ㉠　　② ㉡　　③ ㉠, ㉡
④ ㉡, ㉢　　⑤ ㉠, ㉡, ㉢

그 외 영역

[01~02] A기업에서 기획부, 영업부, 재무부, 홍보부, 개발부의 전산망을 새로 구축하려고 한다. 다음 [표]는 전산망 구축에 필요한 비용에 관한 자료이다. 이를 바탕으로 질문에 답하시오.

[표] 부서 간 전산망 구축 비용 (단위: 만 원)

구분	기획부	영업부	재무부	홍보부	개발부
기획부	–	200	300	100	500
영업부	200	–	400	300	400
재무부	300	400	–	400	100
홍보부	100	300	400	–	200
개발부	500	400	100	200	–

[자원관리능력] 난이도 ★★☆☆☆

01 다섯 개 부서가 전산망을 통해 모두 연결되기 위해 필요한 최소 비용은 얼마인지 고르면?

① 500만 원 ② 600만 원 ③ 700만 원
④ 800만 원 ⑤ 1,000만 원

[자원관리능력] 난이도 ★★★☆☆

02 전산망 구축 시 기획부와 재무부는 바로 연결이 가능해야 한다고 할 때, 다섯 개 부서가 전산망을 통해 모두 연결되기 위한 최소 비용을 고르면?

① 500만 원 ② 600만 원 ③ 700만 원
④ 800만 원 ⑤ 1,000만 원

[자원관리능력] 난이도 ★☆☆☆☆

03 다음은 P제품 제작 공정에 관한 자료이다. 이 업체에서 쉬지 않고 P제품 168개를 제작해야 할 때, 공정 개선 전에 비해 공정 개선 후에 단축된 시간을 고르면?

[그림] P제품 제작 공정

원료입고 → A공정 → B공정 → C공정 → D공정 → E공정 → F공정 → 외관검사 → 치수검사 → 기능검사 → 포장 → 출고

[표] P제품 10개 제작 시 과정별 소요시간 (단위: 분)

구분	공정 개선 전	공정 개선 후
원료입고	10	8
A공정	16	12
B공정	14	12
C공정	25	20
D공정	8	8
E공정	12	10
F공정	8	6
외관검사	16	16
치수검사	14	12
기능검사	10	10
포장	5	4
출고	2	2

※ 단, P제품은 한 번 공정 시 10개 단위로 제작 가능함

① 5시간 10분 ② 5시간 20분 ③ 5시간 30분
④ 5시간 40분 ⑤ 5시간 50분

[자원관리능력] 난이도 ★★★☆☆

04 T 회사는 5일간의 추석 연휴 동안 당직자 2명을 제외하고 모든 사원이 쉰다. 다음 [조건]을 바탕으로 할 때, 함께 당직 근무를 하는 사원의 조합으로 적절한 것을 고르면?

[추석 연휴 일정]

9/17	9/18	9/19	9/20	9/21
토	일	월	화	수

| 조건 |

- 10명의 직원이 당직을 자원하였으며, 하루에 2명씩 당직 근무를 하려 한다.
- 1명의 직원은 1번만 당직 근무를 할 수 있다.
- 각 직원의 고향 방문 일정을 고려하여, 고향을 방문하지 않는 날에 당직을 한다.
- 당직 인원으로는 사원~대리급 1명, 과장~차장급 1명을 함께 배치한다.
- 운전면허가 있는 인원이 1명 이상 있어야 한다.

이름	직급	고향 방문 일정	운전면허
A	차장	9/18~9/21	○
B	차장	9/17~9/19	○
C	과장	9/19~9/21	
D	과장	9/20~9/21	○
E	과장	9/17~9/19	
F	대리	9/19~9/20	○
G	대리	9/17~9/18	○
H	대리	9/17~9/19	
I	사원	9/19~9/21	○
J	사원	9/18~9/21	

① A, I ② C, J ③ B, H
④ D, F ⑤ E, G

빠른 문항풀이

고향 방문 일정이 4일인 사람을 빠르게 확인하여 직원을 한 사람씩 배치해 나가면 쉽게 해결할 수 있다.

[정보능력] 난이도 ★★★☆☆

05 **'위젯'이란 PC, 휴대폰, 블로그, 카페 등에서 날씨 · 달력 · 계산기 등의 기능과 뉴스 · 게임 · 주식정보 등을 바로 이용할 수 있도록 만든 미니 응용프로그램이다. '위젯'의 특징으로 옳지 않은 것을 고르면?**

① 웹브라우저를 통하지 않고도 이용이 가능하다.
② PC 구동과 함께 실시간 정보를 제공받을 수 있으며 위젯 상호 간의 호환도 가능하다.
③ 여러 웹페이지를 방문하지 않아도 되며, PC 또는 웹에서 독립적인 구동이 가능하다.
④ 다양한 위젯 중 자신에게 필요한 것을 퍼 오거나 다운로드하여 사용할 수 있다.
⑤ 웹 위젯은 위젯이 설치된 블로그에 방문하는 사용자들에게 노출되어 '퍼가기' 기능을 통해 쉽게 전파될 수 있다.

[대인관계능력] 난이도 ★★☆☆☆

06 **다음 사례를 참고할 때, K씨가 사용한 협상전략에 대한 설명으로 적절한 것을 고르면?**

> 중고차 판매업자인 K씨는 어느 날 매장을 방문한 고객으로부터 부담스러운 가격 인하 요구를 받게 되었다. 상담 후 곧바로 계약을 체결할 뿐 아니라 직접 차량을 인수해 가는 것이니만큼 제시된 금액에서 추가로 기름값 5만 원을 할인해 달라는 것이었다. 고민 끝에 K씨는 5만 원을 추가로 할인해 줄 테니 자동차 보험은 K씨가 운영하는 업체에 가입할 것을 권유하였다. 하지만 고객은 이미 지인이 다니고 있는 보험 회사에 가입하기로 약속을 해 두었기 때문에 보험 회사를 바꿀 수는 없다고 거절하였다. 고객은 K씨에게 기분 좋게 5만 원을 할인해 주면 될 것이지 왜 또 조건을 붙이느냐며 불쾌한 심정을 드러냈고, 자신의 요구가 받아들여지지 않는다면 다른 곳에서 중고차를 구입할 수밖에 없다는 단호한 입장을 보였다. 이에 K씨는 적정 마진이 확보되지 않더라도 찾아 온 고객을 놓칠 수 없다는 생각에 결국 아무 조건 없이 5만 원을 추가 할인해 주는 것으로 고객의 요구를 수용하게 되었다.

① 상대방과 본인의 욕구를 모두 충족시키지 못하는 것으로 가장 지양해야 할 협상 방식이다.
② 서로의 차이를 인정하고 신뢰감을 유지할 수 있는 가장 바람직한 협상 방식이다.
③ 서로 하나씩 주고받는 이른바 'give and take' 방법을 활용한 협상 방식이다.
④ 상대방이 거친 요구를 해 오는 경우에 전형적으로 나타나는 협상 방식이다.
⑤ '나는 이기고 너는 지는' 경쟁적인 방법으로 자신의 목표를 이루기 위해 전력을 다하는 협상 방식이다.

[조직이해능력] 난이도 ★★★☆☆

07 다음은 C사의 조직도이다. 이를 참고할 때, 각 조직의 업무 관련 결재 방법에 대한 설명으로 옳은 것을 고르면?

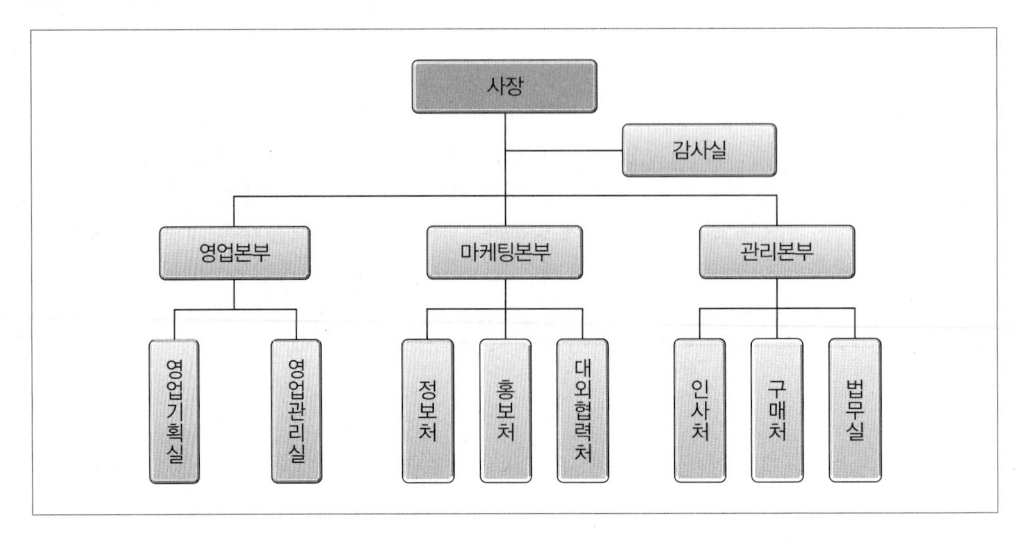

① 영업기획실 최 사원은 사장 전결 업무인 분기별 판매계획안을 작성하며 감사실장을 결재란에 포함하였다.

② 관리본부장은 자신의 해외 출장 계획서를 작성하여 사장 결재 전 감사실장에게 우선 보고하였다.

③ 정보처 조 대리는 본부장 전결 업무에 대하여 마케팅본부장을 최종 결재권자로 한 결재 문서를 작성하였다.

④ 대외협력처 김 사원은 사장 전결 업무 문서를 작성하며 결재가 불필요한 마케팅본부장 결재란에 상향대각선을 표시하였다.

⑤ 인사처 정 대리는 사장 전결 업무인 임직원 교육 프로그램 진행 계획서를 작성하며 3명의 본부장을 모두 결재 라인에 포함하였다.

Ⅱ NCS 실전모의고사

실제 공기업 필기시험 문항에 가장 최적화된 최신 유형의 문항으로 출제하였습니다.

영역	문항 수	시간	비고
직업기초능력평가 10개 영역	50문항	55분	객관식 오지선다형 영역통합형

모바일 OMR 채점 서비스

정답만 입력하면
채점에서 성적분석까지 한번에 짝!

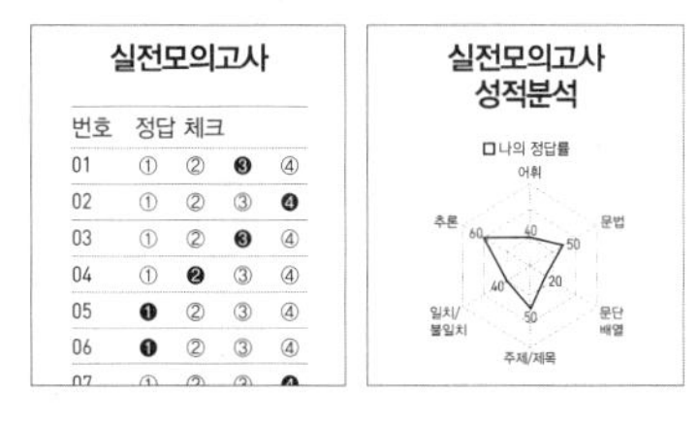

☑ [QR 코드 인식 ▶ 모바일 OMR]에 정답 입력
☑ 실시간 정답 및 영역별 백분율 점수 위치 확인
☑ 취약 영역 및 유형 심층 분석

OMR 카드 형태는 월간 NCS 마지막 장에 수록되어 있습니다. 절취하여 실전처럼 연습할 수 있습니다. 해당 QR 접속 시 바로 모바일 정답 채점 및 성적 분석이 가능합니다.

◀ 모바일 OMR 바로가기
http://eduwill.kr/wuJV
(2022. 06. 30.까지 유효)

NCS 실전모의고사

제한시간 55분

01 다음 글을 읽고 ㉠~㉣에 들어갈 단어를 바르게 짝지은 것을 고르면?

과학기술정보통신부 산하 한국기계연구원이 뱀처럼 부드럽게 휘어지면서 늘어나는 유연 신축 배터리를 개발했다. 소프트 로봇부터 웨어러블 기기까지 다양한 형태의 기기에 적용해 에너지 저장 소자나 재난 환경 등 다양한 목적으로 활용될 것으로 기대된다.

뱀의 비늘은 하나하나는 단단하면서도 서로 접혀 외부 충격을 방어할 수 있을 뿐만 아니라 유연하게 움직이면서 신축성이 높은 구조적 특성을 갖는다. 연구팀은 뱀의 비늘 구조를 (㉠)한 기계적인 구조체를 제작하여 원하는 방향으로 쉽게 늘어나면서도 높은 안전성과 성능을 확보한 배터리를 개발했다. 제품 본체와 배터리가 단단하게 결합한 기존 웨어러블 기기와 달리, 여러 개의 작고 단단한 배터리를 마치 비늘 같은 구조로 연결하여 유연하게 움직일 수 있는 것이 특징이다. 동시에 안전성을 (㉡)하기 위해 배터리 내부 전지 소재의 변형을 최소화하는 구조를 적용하고 작은 크기의 배터리임에도 높은 충전 용량을 가질 수 있도록 개별 배터리의 형상도 최적화했다.

이번 성과의 핵심은 배터리 셀과 연결부의 형상을 설계하는 데 있다. 리튬 폴리머로 비늘 한 조각과 같은 육각형의 작은 배터리 셀을 제작하고, 이를 폴리머와 구리로 만든 연결부로 경첩처럼 접었다 폈다 하도록 연결했다. 이와 함께, 종이접기에서 (㉢)한 제조 공정으로 유연 전극을 자르고 접는 방식으로 만들 수 있기 때문에 경제적으로 대량 생산할 수 있다는 것도 장점이다. 이를 활용하면 부드럽고 유연한 에너지 저장소자가 필요한 인체 착용형 소프트 로봇이나 몸이 불편한 노약자를 (㉣)할 수 있는 재활 의료기기의 에너지 저장 소자로 활용할 수 있다. 또한, 장애물이 있는 좁은 공간도 자유롭게 이동할 수 있는 신축 및 변형 가능한 특성을 살려 재난이 발생한 공간에서 구조에 도움이 되는 재난 로봇의 전력 공급 장치로도 활용할 수 있을 것으로 기대된다.

연구팀은 향후 소프트 에너지 저장 소자의 저장 용량을 증가시킬 수 있는 기술을 개발하고, 인공 근육 및 소프트 로봇 구동 기술과의 결합을 통하여 활용도가 높은 소프트 로봇을 개발할 전망이다.

	㉠	㉡	㉢	㉣
①	모사	구현	착안	보필
②	모사	발현	창안	보조
③	모사	구현	착안	보조
④	묘사	발현	창안	보조
⑤	묘사	구현	창안	보필

02 다음 글을 읽고 밑줄 친 ㉠과 ㉡의 단어와 같은 의미 관계를 나타내는 단어의 조합을 고르면?

> 인류 역사 초기의 사치는 부와 권력을 누리는 지배자들이 ㉠주기적(週期的)으로 향연을 베풀며 자신의 세력을 경쟁적으로 과시하는 것이었다. 즉 과거에 부는 그저 개인의 소유로 묶이는 것이 아니라, 공동체에 베풀고, 그로 인해 명예를 획득하는 교환의 구조에 속해 있었다. 하지만 근대에 들어와서 궁정사회의 부가 왕 자신을 위한 즐거움을 쫓는 데에 쓰이는 것으로 바뀌었다. 부와 사치가 공동체가 아닌 개인의 삶으로 들어오게 된 것이다. 궁정 바깥에서는 신흥 부유층으로 급부상한 시민계급이 명예와 지위를 획득하기 위해 화려한 궁정문화를 모방하고 사치하여 고급문화의 대중화에 기여하게 된다. 중세시대까지만 해도 공동체의 행사를 통해 ㉡간헐적(間歇的)으로 사치가 이루어졌다면, 근대 이후 개인의 삶으로 들어온 사치는 영속적인 속성을 지니게 되었다. 왕족과 귀족의 삶을 모방한 시민계급의 사치는 신분 질서를 무너뜨리고, 개인의 노동으로 축적한 부를 소비하는 것을 미덕으로 보는 소비사회를 초래하는 데 크게 기여했다. 하지만 그럼에도 불구하고 사치라고 하는 행위에는 불평등한 사회를 반영하는 배타적 의식이 스며 있다. 명품을 만들어서 보급하는 기업들은 이러한 상황을 명민하게 포착했다. 오늘날 여러 명품 브랜드는 초고가의 제품과 적정가의 제품을 공존시키는 것을 중요한 마케팅 전략으로 삼는다. 이를 통해서 명품은 대중에게 충분히 쟁취할 수 있는 대상이 된 동시에 귀족적인 이미지 또한 유지할 수 있게 되었다.

① 매각(賣却) : 매입(買入)
② 진품(眞品) : 모조(模造)
③ 강등(降等) : 승격(昇格)
④ 근해(近海) : 연해(沿海)
⑤ 임명(任命) : 면직(免職)

03 다음 글의 주제로 가장 적절한 것을 고르면?

흔히 '가십'이나 '뒷말'이라 부르는, 여럿이 모여 다른 사람들에 대한 이야기를 나누는 일은 학교나, 직장, 다양한 사회적 단위에서 빈번히 일어나는 사회적 상호작용이자 소통의 형태다. 몇몇 연구에 따르면, 대개 우리는 하루 16,000개가량의 단어를 말하는데, 이 중 65%가 이 같은 '사회적 주제'를 다룬다. 대화에 참여하는 당사자들의 이야기나 제3자에 대한 이야기를 하는 것이다.

최근 가십과 관련해 한 실험 연구가 온라인 플랫폼을 통해 진행되었다. 실험에 참가한 2,300여 명의 참여자들은 다시 6명씩 그룹을 이루어 10개의 라운드에 걸친 과제를 함께 수행하였다. 이때 각 라운드에서 참여자에게는 정해진 관계망이 있었는데, 과제에 대해 어떤 결정을 했는지가 바로 보이는 두 명의 '가까운 이웃'과 정보의 흐름에 따라 결정을 알 수도 있고 모를 수도 있는 두 명의 '먼(distant) 이웃', 그리고 먼 이웃이지만 대화를 나눌 수 있는 또 한 명의 '먼(remote) 이웃'이 있었다. 참가자들은 이 구조 속에서 허락된 일부 정보만을 아는 상태에서 '먼(remote) 이웃'과 대화를 통해 다른 정보를 얻어야 했다. 이 관계망은 각 라운드에서 새로 설정되었는데, 이를 통해 각 참여자는 그룹의 다른 사람들에 대한 인상과 정보를 형성해 가는 한편, 이를 '먼(remote) 이웃'과 제한적으로 소통할 수 있었다. 이는 우리가 일상에서 경험하는 사회 관계망에서 비교적 가까운 사람들과 먼 사람들이 있고, 그들에 대한 정보가 불균형한 동시에 이 같은 정보가 가십을 통해 흘러 다니는 것을 실험 속에서 최대한 재현하기 위해 고안한 것이었다.

실험 결과, 먼저 연구진은 다른 사람들의 결정에 대한 정보가 충분치 않을 때 참여자들은 다른 사람들의 행동에 대한 대화를 더 많이 하는 것으로 나타났다. 한편 다른 사람의 결정에 대한 정보가 충분할 때, 대화의 주제는 더 다양해졌다. 연구진은 이것을 다른 사람들에 대한 정보가 부족할수록 사람들은 이들을 파악하기 위한 대화를 하고, 정보가 충분할수록 신변잡기나 다른 일상의 대화를 하는 것을 의미한다고 해석했다. 흥미로운 것은, 분석을 통해 이 같은 실험 환경에서도 참여자들 간의 가십은 그룹 내에서 자신들이 직접 관찰하지 못하는 사람들에 대한 인상에 영향을 미치는 것으로 나타난 것이다. 참여자들이 그룹의 다른 사람들을 평가한 내용은 이들이 가십을 통해 주고받은 내용과 연관성을 보였다.

또한 서로 대화를 나눈 참여자들은 그렇지 않은 이들과 비교해 서로 더 큰 유대감을 가지고 있었는데, 이는 이들이 게임에서 더 협조적으로 행동한 사람인지의 여부보다 더 큰 연관성을 가지고 있었다고 연구진은 설명했다. 즉 대화를 나누는 행위 자체가 이들의 사회적 유대에 큰 영향을 미친다는 것이다.

① 개인의 가십은 조직에 부정적인 영향을 미친다.
② 가십은 정보 교류와 유대를 높이는 역할을 한다.
③ 가십의 순기능을 증명하기 위한 독창적인 실험 고안이 필요하다.
④ 소모적인 가십을 예방하기 위해서는 조직 차원의 노력이 필요하다.
⑤ 공동체적 차원의 가십은 개인적 차원의 가십과 다른 특성을 보인다.

04 다음 글을 이해한 내용으로 적절한 것을 고르면?

해양 플라스틱 오염과 미세플라스틱 문제의 심각성이 커지면서 세계 각국이 대책 마련에 분주하다. 이미 프랑스, 이탈리아, 인도, 파키스탄, UAE 등의 국가들은 식품 포장재로 생분해성 플라스틱 제품을 사용할 것을 법령으로 정했다. 유럽연합(EU)은 일반인이 가장 많이 사용하는 플라스틱 제품 10가지를 2021년부터 사용 금지한다. 여기에는 빨대, 면봉, 물티슈, 봉투, 그릇 등 일상적으로 흔히 사용하던 제품이 다수 포함된다. EU는 여기에 그치지 않고 2025년까지 각 회원국이 전체 유통되는 플라스틱 음료수병 중 90% 이상을 수거하기로 했다. 오스트레일리아와 뉴질랜드, 캐나다 역시 일회용 비닐봉투 사용을 금지하고 있다.

한편 과학계와 산업계에서는 지속가능한 대안을 찾으려는 노력이 이어지고 있다. 플라스틱이 환경에 적지 않은 피해를 준다고는 하지만 화학변화와 물에 강하고 썩지 않는다는 장점은 대체하기가 어렵다. 이에 기존 플라스틱의 성질을 유지하면서도 자연 상태에서 쉽게 분해되는 소재를 찾기 위해 많은 노력을 기울이고 있다. 이른바 '친환경 플라스틱'이다.

개발 방향은 크게 두 갈래다. 하나는 기존의 플라스틱 제조 공정을 변형하여 생물이 분해할 수 있는 생분해 플라스틱을 제조하는 것이다. 생분해 플라스틱은 폐기했을 때 일정한 조건만 조성되면 미생물의 작용으로 물, 이산화탄소, 메탄 등으로 분해된다. 일반적으로 6개월 이내 90% 이상이 분해될 때 생분해 플라스틱이라 부른다. 다른 하나는 사탕수수, 옥수수, 나무 등 생물에서 유래한 성분을 이용하는 바이오매스 기반 플라스틱이다. 바이오매스 기반 플라스틱은 일정 기간 내에 반드시 분해될 필요는 없다. 생물 유래 물질이라 생태계에 미치는 영향이 적기 때문이다. 생물 소재에서 유래했기에 환경오염물질이 덜 발생하며 제조 과정에서 탄소 배출량도 적다는 장점이 있다.

두 가지 소재 모두 제법 상용화된 제품이 있을 정도로 개발이 진척됐다. 식기로 종종 사용되는 옥수수 유래 소재인 PLA가 대표적인 사례다. PLA는 유기산의 일종인 젖산 여러 개가 중합해 만들어진 소재로, 옥수수나 사탕수수에서 얻은 전분으로부터 생산한다. PLA는 6개월 이내 90% 이상 생분해되어 미세플라스틱을 거의 남기지 않는다. PLA뿐만 아니라 녹말을 중합한 TPS나 식물 세포벽의 주성분인 셀룰로스를 활용한 CA와 CDA 등 다양한 물질이 개발됐다.

이처럼 다양한 친환경 플라스틱이 개발되고 있지만, 이들이 모든 문제를 해결할 기적의 소재라고 볼 수는 없다. 현재 생산되는 생분해성 플라스틱은 대부분 특정한 조건을 갖춰야 생분해가 가능하다. 조금만 생각해 보면 그 이유를 알 수 있는데, 플라스틱이 유용한 이유는 성형하기 쉬우면서도 적당한 내구성을 지녔기 때문이다. 따라서 '잘 분해되는' 플라스틱과 '유용한' 플라스틱은 양립하기가 쉽지 않다. 따라서 자칫하다가는 소재로서 특성도 시원찮으면서 천연물보다 분해는 잘 안 되는 애매한 소재가 나오기 십상이다. 대표적인 생분해성 소재인 PLA만 해도 용융점이 폴리에스테르보다 낮아서 옷감용 제품을 만들기에는 내열성이 약한 한편, 양모나 면과 같은 천연섬유보다는 여전히 분해속도가 느리다.

① PLA는 분해 속도가 TPS보다 빠르고 CA보다는 느리다.
② 양모로 만든 섬유는 PLA로 만든 섬유보다 분해되는 속도가 느리다.
③ 생분해 플라스틱은 미생물이 작용하지 않는 조건에서는 분해되지 않는다.
④ 유럽연합 국가에서는 2025년부터 플라스틱 면봉의 사용이 원칙적으로 금지된다.
⑤ 바이오매스 기반 플라스틱은 일정 기간 이내에 완전히 분해되어야 친환경 플라스틱으로 인정된다.

[05~06] 다음은 공항시설법의 일부 내용이다. 이를 바탕으로 질문에 답하시오.

제31조(시설의 관리기준) ① 공항시설 또는 비행장시설을 관리·운영하는 자는 시설의 보안관리 및 기능유지에 필요한 사항 등 국토교통부령으로 정하는 시설의 관리·운영 및 사용 등에 관한 기준(이하 "시설관리기준"이라 한다)에 따라 그 시설을 관리하여야 한다.

② 국토교통부장관은 대통령령으로 정하는 바에 따라 공항시설 또는 비행장시설이 시설관리기준에 맞게 관리되는지를 확인하기 위하여 필요한 검사를 하여야 한다. 다만, 제38조 제1항에 따른 공항으로서 제40조 제1항에 따른 공항의 안전운영체계에 대한 검사를 받는 공항은 이 조에 따른 검사를 하지 아니할 수 있다.

제31조의2(안전관리기준의 준수) ① 공항시설의 유지·보수, 항공기에 대한 급유, 항공화물 또는 수하물의 하역 등 대통령령으로 정하는 항공 관련 업무를 수행하는 사람(이하 "항공업무 수행자"라 한다)은 안전사고의 예방과 차량 및 장비의 안전운행을 위하여 「항공보안법」 제12조에 따른 공항시설 보호구역(이하 "보호구역"이라 한다)에서 다음 각 호의 안전관리기준을 모두 준수하여야 한다.

1. 차량을 운전하거나 장비 등을 사용하려는 경우 공항운영자의 사전 승인을 받을 것
2. 공항운영자에게 등록된 차량을 사용할 것
3. 보호구역에 설치되거나 표시된 교통안전 관련 시설 또는 표지를 훼손하지 말 것
4. 보호구역에서 차량 및 장비를 운행할 경우 다음 각 목의 행위를 하지 말 것
   가. 제한속도 및 안전거리 유지의무를 위반하는 행위
   나. 주행 중인 차량을 추월하는 행위
   다. 지상에서 이동 중인 항공기의 앞을 가로지르거나 주기 중인 항공기의 밑으로 운행하는 행위. 다만, 항공기에 대한 급유, 화물의 하역 등 항공기 관련 업무를 수행 중인 경우는 제외한다.
5. 항공기 이동에 지장을 초래할 수 있는 장비, 부품, 이물질 등을 활주로 및 유도로 등에 방치하거나 공항운영자가 지정한 구역이 아닌 장소에 가연성 물질 등 위험물을 보관 또는 저장하지 말 것
6. 보호구역에서 사람, 차량 또는 장비 관련 사고가 발생한 경우 즉시 신고할 것
7. 보호구역에서 흡연(공항운영자가 지정한 장소에서의 흡연은 제외한다), 음주 또는 환각제 복용을 하거나 음주 또는 환각제 복용 상태에서 업무 수행을 하지 말 것
8. 그 밖에 안전사고의 예방과 차량 및 장비의 안전운행을 위하여 대통령령으로 정하는 기준

② 국토교통부장관은 항공업무 수행자가 제1항에 따른 안전관리기준을 위반한 경우 1년 이내의 기간을 정하여 해당 업무(운전업무를 제외한다)에 대한 정지를 명하거나, 공항운영자에게 운전업무의 승인 취소 또는 1년 이내의 기간을 정하여 운전업무를 정지할 것을 명할 수 있다. 다만, 거짓 또는 그 밖의 부정한 방법으로 제1항 제1호에 따른 승인을 받거나 같은 항 제7호를 위반하여 음주 또는 환각제 복용 상태에서 운전업무를 수행한 경우에는 운전업무의 승인 취소를 명하여야 한다.

③ 제1항에 따른 안전관리기준의 시행 및 제2항에 따른 처분의 기준·절차 등에 필요한 사항은 국토교통부령으로 정한다.

제32조(사용료의 징수 등) ① 공항시설 또는 비행장시설을 관리·운영하는 자는 국토교통부령으로 정하는 바에 따라 공항·비행장·항행안전시설을 사용하거나 이용하는 자로부터 사용료를 징수할 수 있다.

② 제1항에 따라 사용료를 받으려는 자는 사용료의 금액을 정하거나 변경하려는 경우에는 국토교통부장관에게 신고하여야 한다. 다만, 지방자치단체의 장과 공공기관을 제외한 자가 사용료를 정하거나 변경하려는 경우에는 국토교통부장관의 승인을 받아야 한다.

③ 국토교통부장관은 제2항 본문에 따른 신고를 받은 날부터 10일 이내에 신고수리 여부를 신고인에게 통지하여야 한다.
④ 국토교통부장관이 제3항에서 정한 기간 내에 신고수리 여부 또는 민원 처리 관련 법령에 따른 처리기간의 연장을 신고인에게 통지하지 아니하면 그 기간(민원 처리 관련 법령에 따라 처리기간이 연장 또는 재연장된 경우에는 해당 처리기간을 말한다)이 끝난 날의 다음 날에 신고를 수리한 것으로 본다.

05 주어진 자료에 대한 설명으로 옳은 것을 고르면?

① 항공업무 수행자의 안전관리기준 시행에 필요한 사항은 대통령령으로 정한다.
② 비행장시설을 운영하는 공공기관에서 시설 이용자에게 받는 사용료를 변경하고자 할 경우 국토교통부장관의 승인을 받아야 한다.
③ 국토교통부장관이 공항시설 관리자에게 사용료를 정하기 위한 신고를 받은 후 별도의 통지를 하지 않았다면 신고한 날로부터 일주일 후부터는 해당 신고가 수리된 것으로 본다.
④ 부정한 방법으로 차량을 운전하는 것에 대한 공항운영자의 사전 승인을 받았을 경우 국토교통부장관의 명령에 따라 최대 1년간 운전업무가 정지된다.
⑤ 공항시설법에 따라 공항의 안전운영체계에 대한 검사를 받은 공항은 시설관리기준에서 요구하는 검사를 생략할 수 있다.

06 주어진 자료에 따를 때 안전관리기준에 위배되지 <u>않는</u> 사례를 고르면?

① 등록차량으로 보호구역을 주행하면서 차내에서 흡연한 경우
② 보호구역에서 차량을 정비한 후 부품을 도로 중앙에 방치하고 떠난 경우
③ 항공기에 연료를 보급하기 위해 관련 장비를 항공기 밑으로 운행한 경우
④ 기존 등록차량의 고장으로 공항운영자에게 등록하지 않은 차량을 임시로 운행한 경우
⑤ 차량으로 보호구역에서 주행 중에 장비와 충돌하는 사고가 발생하였으나 이를 신고하지 않은 경우

07 다음 중 [가]~[마]를 문맥의 흐름에 맞게 배열한 것을 고르면?

[가] 튤립이 처음 네덜란드에 소개된 것은 16세기 중반 무렵으로, 이 시기에 네덜란드는 스페인의 군사적 위협이 사라지고, 암스테르담이 금융중심지가 되어 금융업이 발달하기 시작했으며, 독일의 30년 전쟁 여파로 체코 등의 직물 산업이 붕괴되어 경제적 호황을 누리던 때다. 자연스럽게 자본이 몰려들었고, 이때 사람들의 눈에 띈 것이 당시 오스만 제국에서 들어온 신비의 꽃인 튤립이었다. 1610년대 당시 튤립은 동방에서 온 희귀하고 이국적인 꽃에 불과했으나, 점차 원예가나 애호가들 또는 돈 많은 귀족들이 부와 교양을 과시하기 위해 가꾸는 고급 정원의 수집품이 되었다.

[나] 그런데 이로부터 두 달이 지난 시기에 가격이 갑자기 하락세로 돌변하기 시작했다. 공급이 수요를 넘어선 것이다. 가격은 급격하게 폭락하기 시작하였고, 지속적으로 하락세를 기록해 4개월 만에 최고점에서 95~99%가 떨어져 투자자들은 본전의 1~5%만 건지게 되는 상황이 발생하였다. 네덜란드 전체가 혼란에 휩싸이자 정부는 1636년 11월을 기점으로 그 이전 계약을 모두 무효로 하고, 그 이후에 맺어진 계약에 대해서는 투자자가 생산자에게 계약금액의 10%를 물어주는 방안을 내었으나 실상 제대로 지켜지지는 못했다. 결국 황금기에 있던 네덜란드는 튤립 파동과 유럽 내 패권 다툼 등 여러 상황을 겪으며 대공황기에 들어서게 된다.

[다] 거품 경제(Bubble Economy)는 경기 국면이 실물 부문의 움직임과 괴리되어 거품처럼 실제보다 과대평가되거나 팽창된 경기 상태, 즉 가격이 내재된 가치를 넘어서는 현상을 일컫는 경제용어이다. 이 경제용어는 역사상 최초의 거품 경제 현상으로 일컬어지는 '튤립 파동'에서 처음 시작되었다. 흔히 튤립이라고 하면 네덜란드를 떠올리지만 사실 튤립은 유럽에 없던 꽃으로 현재의 터키인 오스만 제국이 고향이다.

[라] 본격적으로 시작된 튤립 투자 열풍에 불을 지핀 것은 1630년대에 시작된 '선물 계약'이다. 선물 계약이란 미래의 특정 시점을 인수·인도일로 지정해 특정한 기초 자산을 정한 가격에 사고팔기로 약속하는 계약이다. 튤립의 경우 일반 투자 품목과 달리 꽃을 피워야 사고 팔 수가 있는 상품이다. 따라서 꽃이 필 때까지 기다려야 했기 때문에 알뿌리를 먼저 거래하는 사람들이 늘어났다. 즉 꽃이 피는 미래시기에 특정 금액으로 튤립을 사겠다는 선물 계약 자체를 사고파는 거래가 성행하게 된 것이다. 이 때문에 특정 시기와 상관없이 거래가 가능해져 튤립 거래가 급격하게 늘어나게 되었다. 이러한 상황 속에 튤립 가격은 급격하게 뛰기 시작했다.

[마] 특히 바이러스로 인해 발생하는 희귀한 점박이 모양의 몇몇 튤립들은, 그 희귀성으로 점점 그 값어치가 올라가기 시작했다. 이 희귀종들은 쉽게 양을 늘리기도 어려워 그 자체로 큰 가치를 가졌고, 이에 희귀종 튤립의 알뿌리를 확보하려는 움직임이 크게 일어나기 시작하였다. 당시 넘쳐나던 자본이 이 튤립 투자에 몰리기 시작한 것이다. 점점 가격이 상승하자 부를 과시하려는 부유층과 일부 원예가뿐만 아니라 마당에서 소소하게 꽃을 키우던 시민들까지 일확천금을 기대하며 튤립 재배에 모든 것을 걸기 시작했다.

① [가] - [다] - [라] - [마] - [나]
② [가] - [마] - [나] - [라] - [다]
③ [나] - [라] - [다] - [마] - [가]
④ [다] - [가] - [나] - [라] - [마]
⑤ [다] - [가] - [마] - [라] - [나]

08 다음 글을 통해 추론한 내용으로 적절한 것을 고르면?

교통사고에서 사망사고가 가장 많은 사례는 차 대 보행자 사고다. 그중에서도 보행 중에 일어난 사고는 2018년 기준 영국이 25.7%, 미국은 17.5%, 독일은 14%를 차지하는 반면, 한국은 39.3%로 높은 사고율을 보였다. 보행자 우선도로는 이러한 사고의 위험성을 줄일 수 있는 대안 중 하나로, 보행자와 차량이 혼합 이용하되 보행자 안전, 편의를 우선 고려해 설치하는 도로를 말한다.

대표적인 보행자 우선도로의 선행 사례로는 네덜란드의 본엘프를 꼽을 수 있다. 본엘프는 과거 농작업이 이루어지고 우마차가 드나들며 어린이들이 뛰어노는 혼용공간이었지만, 현재는 주거지역의 도로를 뜻한다. 본엘프에서는 디자인 수단을 통해 물리적으로 차의 통행은 가능하지만, 이동을 불편하게 해 교통량이 감소되도록 했다. 도로의 포장을 다르게 하거나 요철이나 장애물을 설치하는 등 차량의 통행을 불편하게 하는 방법이다. 사람과 차가 동일 공간을 공유하지만, 우선권은 사람에게 있어 사람들에게 위협되지 않는 속도로 차량이 통행하게 되는 자연스러운 제약을 만든 것이다. 네덜란드 도로교통법에 의하면, 본엘프 구역에서는 보행자의 통행이나 놀이를 할 때 도로 전체를 이용할 수 없고, 차량은 보행속도인 15km/h를 초과해 달릴 수 없으며 주차는 지정된 장소에서만 허용한다. 본엘프 사업 사례는 이후 공유 도로, 홈 존(Home zone), 속도 30(Temp 30), 커뮤니티 존 등 다양한 형태의 도로로 변화하여 영국, 독일, 스위스 등 유럽국가와 일본으로 전파되었다.

그중 커뮤니티 존은 일본에서 주민참여를 유도해 조성한 일본형 본엘프로, 보행자의 자유로운 통행을 우선하는 주거지역의 보행자 · 차량 혼용도로 구역을 뜻한다. 1996년 제6차 교통기본계획의 중점과제로 시행된 커뮤니티 존 조성 사업은 도쿄 미타카시에서 처음 도입된 이후 전국 각지에 경쟁적으로 도입되었다. 당시 '도료표식, 구획선 및 도로표지에 관한 지침'이 개정되어 구역의 시작점, 구역 내, 종점을 나타내는 보조표식이 신설됨과 동시에 규제를 실시할 경우에는 도로표식을 설치하여 운전자에게 명시하는 것이 가능해졌다. 이 개정에 따라 커뮤니티 존에서의 최고속도를 30km/h로 규제하고, 도로표식을 설치해 운전자들에게 명시하기 시작했다.

교통 선진국인 독일의 경우, 평범한 보행자 · 차량 혼용도로를 교통완화지역으로 지정해 자동차가 10km/h로 달릴 수 있도록 했다. 1977년 처음 도입돼 1980년부터 본격적으로 적용된 교통완화지역은 독일 주택가 등에서 차도와 인도의 구분이 없는 곳임을 알려주는 네덜란드와 동일한 표지판을 통해 어렵지 않게 발견할 수 있다. 이곳에서는 자동차가 보행자의 걷는 속도에 맞춰 주행해야만 하는데, 아이들이 뛰어놀 수 있는 공간이기 때문에 속도를 올리는 것은 위험 행위로 간주한다. 단, 본엘프나 커뮤니티 존처럼 보행자가 우선되는 구역은 아니다. 독일에서는 차량의 이동권을 보행자가 함부로 방해하는 행위 또한 안 된다고 명시하고 있다.

① 커뮤니티 존에서는 차량의 이동권보다 보행자의 권리가 우선한다.
② 본엘프에서는 차량과 보행자의 이동에 방해가 되는 장애물의 설치가 금지된다.
③ 커뮤니티 존보다 본엘프 구역에서 차량이 달릴 수 있는 최고 속도가 더 빠르다.
④ 일본의 보행자 우선도로는 네덜란드의 본엘프 구역 설치에 직접적인 영향을 미쳤다.
⑤ 2020년 교통사고에서 차 대 보행자 사고로 인한 사망사고의 비율은 미국보다 영국이 높을 것이다.

[09~10] 다음 보도자료를 읽고 질문에 답하시오.

□ LH는 공공임대주택에 입주하는 고령자, 장애인 등 주거약자에게 보다 안전하고 편리한 주거환경을 제공하기 위해 건설임대주택 주거약자용 편의시설 설치 기준을 개선하고 시설 설치를 전면 확대한다고 밝혔다.

□ LH는「장애인·고령자 등 주거약자 지원에 관한 법률」및「공공주택 업무처리지침」등 관련 법령에 따라, 안전·편의시설이 기본으로 설치된 주거약자용 주택을 2012년도부터 본격적으로 건설해 왔으며, 특히, 국민임대 등 건설임대주택을 대상으로 주거약자용 주택을 의무 건설 비율 이상으로 건설해 최근 5년간 1만여 호를 공급 및 장애 정도가 심한 지체장애인 등이 희망하는 경우에는 경사로 등 선택 편의시설 또한 무료로 설치·제공해 왔다.

□ 그러나 공사 진행상황이나 편의시설 설치방법 등의 제한으로 입주 전·후로 편의시설 제공이 어려운 경우가 있었다.

- 건설 중인 단지의 경우, 의무 설치시설 외 선택 시설은 입주 6개월 이전 신청 세대의 경우에만 설치가 가능했으며, 이후 신청 세대는 현장여건에 따라 제한적으로 설치가 가능했다.
- 입주한 단지의 경우, 벽면·좌변기·세면대 등이 일체형으로 만들어진 조립식 욕실(UBR)*이 설치된 세대의 경우 구조적으로 욕조 제거가 어려웠으며, 또 휠체어 진입을 위한 '욕실 출입문 폭 확장'이나 '높낮이 조절 세면대', '좌식 싱크대' 등의 설치가 불가능했다.

  * 조립식 욕실(UBR): 시스템 욕실로 바닥, 벽, 천장 내부설비를 FRP 등 방수 소재로 공장에서 제작해 현장에서 조립, 하자율이 적으나 구조 변경이 곤란한 구조

□ 이에 LH는 편의시설 설치 기준을 전면 개선해 공공임대주택의 질적 향상과 함께 고령자, 장애인 등의 주거권을 적극 보장하기로 했다.

- (최초 입주자모집 시기 조정) 신규 단지의 경우, 기존에는 입주 시기만을 고려하였으나 편의시설 설치 신청자의 요구사항 반영을 위해 편의시설 설치공사 기간(6개월)과 입주 시기를 고려하여 입주자 모집 시기를 앞당긴다.
- (주거약자용 주택 설계 기준 개선) 신규로 건설하는 주택은 언제든지 편의시설 설치가 가능하도록 설계 기준을 개선한다. 기존에는 비디오폰 위치 등 구조상 문제로 시설 변경이 어려운 경우가 있었지만, 신규 주택은 위치 변경이 가능하도록 설계하는 등 신청시기와 무관하게 설치를 전면 지원한다. 또 입주자가 원할 경우 높낮이 조절 세면대를 제공해 휠체어 사용자의 편의를 높일 계획이다.
- (조립식 욕실 개선) 이미 입주가 이뤄진 기존 단지 중 조립식 욕실(UBR)이 설치된 주택의 경우, 필요로 하는 경우에 조립식 욕실을 철거하고 일반 욕실로 변경함으로써 휠체어 진입이 가능하도록 욕실 출입문 규격을 확대하고 욕조 제거 등을 통해 장애인 편의시설 등을 설치한다.
- (좌식 싱크대 설치) 기존 입주 단지 중 좌식싱크대를 필요로 하는 경우에는 무료로 설치한다.

□ LH는 이번 설치기준 변경을 통해 임대주택 설계부터 건설, 공급, 운영 및 유지보수까지, 주거약자를 위해 전 단계에 걸쳐 프로세스를 개선했으며, 이를 통해 건설임대주택 입주민의 생활이 보다 안전하고 편리해질 것으로 기대된다.

- LH 관계자는 "장애인·고령자 등의 적극적인 주거권 보장에 앞장서기 위해 제도를 개선하게 됐다."며 "앞으로도 LH는 국민에게 편리하고 안전한 주거환경을 제공하기 위해 최선을 다할 것"이라고 말했다.

09 **주어진 보도자료의 제목으로 가장 적절한 것을 고르면?**

① LH, 주거약자용 장기공공임대주택 공급 개시
② LH, 건설현장 스마트 안전기술 특별 점검 실시
③ LH, 행복주택 주민편의시설 설치 및 운영 업무협약 체결
④ LH, 건설임대주택 주거약자용 편의시설 설치 전면 확대
⑤ LH, 노인돌봄전달체계 개편 시범사업으로 고령자 주거지원 실시

10 **A사원이 주어진 보도자료의 이해를 돕기 위해 주요 내용을 [보기]와 같이 정리하였다고 할 때, ㉠~㉣ 중 적절하지 않은 것만을 모두 고르면?**

보기

구분		기존	개선
신규 단지	최초 입주자 모집 시기	㉠입주 시기를 고려한 입주자 모집	편의시설 설치 공사기간과 입주 시기를 고려한 입주자 모집
	주거약자용 주택 편의시설 설치기준	취사용 가스밸브 및 비디오폰 높이, 높낮이 조절 세면대 설치 어려움	㉡신청시기에 요청한 세대에 한해 편의시설 위치 변경 가능 설계
기존 입주단지	조립식 욕실(UBR) 교체	UBR 적용 단지는 욕실 단차, 출입문 규격 확대, 욕실 제거 등이 어려움	㉢필요 시 기존 조립식 욕실을 철거하고 일반 욕실로 변경해 요청 편의시설 설치
	좌식 싱크대 설치	㉣입주자 필요 시 유료 설치	입주자 필요 시 무료 설치

① ㉠, ㉡ ② ㉠, ㉢ ③ ㉡, ㉣
④ ㉠, ㉢, ㉣ ⑤ ㉠, ㉡, ㉢, ㉣

11 홍보팀은 상반기 동안 했던 홍보물 파일을 정리하려고 한다. 다음 [조건]을 바탕으로 홍보팀의 팀원이 몇 명인지 고르면?

조건
• 홍보팀이 정리한 파일은 총 132개이다. • 파일은 홍보팀 팀원들이 똑같이 나누어 정리했다. • 팀원 한 사람이 정리한 파일의 개수는 홍보팀 팀원 수보다 1개 적다.

① 10명 ② 11명 ③ 12명
④ 13명 ⑤ 14명

12 가나다 패션은 옷을 만들어서 판매하는 기업이다. 이 기업에서 재고로 남은 옷들을 다음 [조건]과 같이 할인하여 판매하였더니 한 벌당 원가의 900원씩 손해를 보았다. 이때 가나다 패션에서 재고로 남은 옷들을 몇 % 할인하여 팔았는지 고르면?

조건
• 재고로 남은 옷들의 원가는 한 벌당 10,000원이다. • 정가는 원가에 a%의 이윤을 붙인 가격이다. • 재고를 판매한 가격은 정가의 a%를 할인한 가격이다.

① 30% ② 35% ③ 40%
④ 45% ⑤ 50%

13 시행사업부 84명의 직원들은 연중 두 번에 걸쳐 인사평가를 받았다. 다음 [조건]에 따라 시행사업부의 직원 84명이 받을 수 있는 1차 인사평가 평균 점수의 최댓값을 고르면?

조건

- 시행사업부 인원수는 1차 인사평가부터 2차 인사평가까지 그대로 유지된다.
- 시행사업부 직원 35명은 각각 2차 인사평가 점수가 1차 인사평가 점수보다 6점씩 높았고, 다른 직원들은 점수 변동이 없었다.
- 2차 인사평가 점수의 평균은 21점 이하이다.

① 18.5점 ② 19점 ③ 19.5점
④ 20점 ⑤ 20.5점

14 김 과장과 박 과장은 함께 대전으로 출장을 갔다가 각자 자가용을 타고 대전으로부터 240km 떨어진 A지역 사무실로 출근했다. 다음 [조건]을 바탕으로 할 때 박 과장이 이동한 평균 속력으로 가능하지 않은 것을 고르면?

조건

- 김 과장과 박 과장은 동시에 출발하였다.
- 김 과장은 평균 80km/h로 이동하였다.
- 박 과장은 김 과장보다 A지역 사무실에 1시간 미만으로 늦게 도착했다.
- 대전과 A지역 사무실은 직선거리 사이에 위치한다.

① 68km/h ② 71km/h ③ 74km/h
④ 77km/h ⑤ 80km/h

[15~16] 다음은 상생소비지원금에 관한 안내문이다. 이를 바탕으로 질문에 답하시오.

○ **상생소비지원금:** 지역경제 활성화와 소비회복 촉진을 위해 신용 또는 체크카드를 2분기 월평균 사용액보다 3% 많이 쓰면, 3%를 넘는 증가분의 10%를 1인당 월 10만 원까지 개인이 상생소비지원금 참여 신청 시 지정한 전담카드사를 통해 현금성 충전금으로 환급
○ **시행기간:** 2021. 10. 1.(금) ~ 2021. 11. 30.(화)
○ **참여대상:** 만 19세 이상(2002년 12월 31일 이전 출생자)이고, '21년 2분기(4~6월) 중 본인 명의의 신용 · 체크카드 사용실적(비소비성 지출 외)이 있는 자(외국인 포함)
○ **신청기간:** 2021. 10. 1.(금) 09:00 ~ 2021. 11. 30.(화) 18:00
※ 시행 첫 1주일은 출생 연도 뒷자리 숫자에 따라 5부제로 운영. 이후에는 출생 연도 관계없이 신청 기간 내 신청

구분	10. 1.(금)	10. 5.(화)	10. 6.(수)	10. 7.(목)	10. 8.(금)
출생 연도 끝자리	1, 6	2, 7	3, 8	4, 9	5, 0

○ **신청 가능 카드:** 9개 전담카드사(롯데, BC, 삼성, 신한, 우리, 하나, 현대, KB, NH)에서 발급한 본인 명의의 신용카드 또는 체크카드, 캐시백 산정 · 지급 관련 모든 서비스를 원스톱으로 제공받기 위해서는 9개 카드사 중 한 곳을 전담카드사로 지정 필요
※ 법인카드, 가족카드, 선불 · 직불카드, 백화점카드, 각종PAY(제로페이 포함), 지역화폐 등은 제외
○ **실적:** 보유한 모든 카드 사용실적을 합산(해외 사용액 및 실적적립 제외 업종 사용액 제외)
○ **지원금 지급 일정:** 다음 달 15일
○ **사용 기한:** 2022년 6월 30일 목요일까지(기한 내 미사용 캐시백은 자동 소멸)
○ **지원금 산정 기준:** 2분기 카드실적과 당월 카드실적은 동일한 기준으로 산정(사용액 중 해외 사용액 및 실적적립 제외 업종 사용액 제외)
○ **실적제외 업종:** 대형마트*, 대형 백화점*, 복합 쇼핑몰*, 면세점, 대형 전자전문 판매점, 대형 종합 온라인몰, 홈쇼핑, 유흥업종, 사행업종, 자동차 구입, 명품 전문 매장, 비소비성 지출**
* 입점 임대업체로서 자기명의로 판매하는 매장은 실적 적립 가능
** 연회비, 세금, 보험, 상품권, 선불카드 충전액, 현금서비스 · 카드론, 카드수수료 등
○ **지원금 사용:** 지원금은 지급 즉시 사용 가능하며, 카드 결제 시 우선적으로 차감, 정부 · 지자체 등에서 지급받은 지원금(국민지원금 등)이 있는 경우 사용기한이 먼저 도래하는 지원금부터 순차 차감
1. **사용 방법:** 신청인이 지정한 전담카드사의 카드로만 사용 가능. 여러 장의 카드를 보유한 경우 전담카드사의 모든 카드로 사용 가능
2. **사용 기한:** 2022년 6월 30일까지
3. **사용처:** 카드사와 가맹계약을 체결한 모든 국내 가맹점에서 사용 가능
4. **지원금 반환:** 지원금을 지급받은 이후 카드결제 취소 등으로 인해 지원금이 과다 지급된 경우 반환 필요
① 다음 달에 지급받을 캐시백이 있는 경우 다음 달 캐시백에서 차감
② 다음 달에 지급받을 캐시백이 없는 경우 차회 카드사에서 반환 대금 청구

15 주어진 안내문을 바탕으로 답변할 수 있는 질문을 고르면?

① 10월에 60만 원을 3개월 할부로 결제하였습니다. 이 결제 건의 10월 사용실적은 어떻게 되나요?
② 9개 전담카드사의 카드를 보유하지 않았습니다. 상생소비지원금을 받으려면 해당 카드를 발급받아야 하나요?
③ 2분기에 남편 명의의 가족카드만 사용하였습니다. 저는 상생소비지원금을 신청할 수 없나요?
④ 주말에도 상생소비지원금을 신청할 수 있나요?
⑤ 지급된 상생소비지원금을 가족에게 양도할 수 있나요?

16 주어진 자료에 대한 설명으로 반드시 옳은 것을 고르면?

① 2분기 총카드 사용액이 150만 원인 경우 10월 총카드 사용액이 51만 5천 원을 초과하면 상생소비지원금을 받을 수 있다.
② 사용기한이 2021년 12월 31일까지인 지자체 재난지원금을 지급받은 카드로 상생소비지원금을 지급받은 경우 재난지원금을 먼저 사용한다.
③ 9개 전담카드사 중 4개 카드사의 카드를 보유한 경우 9개 카드 중 어느 카드를 사용해도 상생소비지원금을 사용할 수 있다.
④ 11월 15일에 지원금을 지급받은 이후 카드결제 취소를 하는 경우에는 차회 카드사에서 반환대금을 청구하지 않는다.
⑤ 온라인몰이나 홈쇼핑에서 결제한 금액은 사용실적에 포함하지 않는다.

[17~18] 다음은 A시의 청년월세 지원사업에 관한 안내이다. 이를 바탕으로 각 질문에 답하시오.

1. 지원개요
   • 지원대상: 신청일 기준 A시에 거주하는, 만 19세~39세 이하 청년 1인 가구
     ※ 단, 셰어하우스 등에 거주하며 임대인(사업자 포함)과 개별 임대차 계약을 체결한 주민등록 상 동거인은 동시 지원 신청 가능
   • 지원내용: 월 20만 원 이하 지원(최대 10개월) ※ 생애 1회
     ※ 20만 원 미만 월세 계약은 실제 월세금액만 지원
     ※ '주택바우처' 수급자인 경우, 바우처 수령액을 제외한 차액 지급
   • 접수기간: 2021. 8. 10.(화) 10:00 ~ 2021. 8. 19.(목) 18:00(마감)
   • 선정인원: 청년 1인 가구 2만 2천 명
   • 선정방법: 임차보증금 · 월세 및 소득기준, 4개 구간으로 나누어 선정하고 인원 초과 시 구간별 전산 추첨
     – 1구간 9,000명, 2구간 6,000명, 3구간 4,000명, 4구간 3,000명
2. 신청 자격 · 요건: 다음 조건을 모두 만족하는 사람
   • (주소) 신청일 기준, A시에 주민등록이 되어 있고 실제 거주하는 청년 1인 가구
     – 임대차계약서 기준, 임차인 본인이 신청해야 하며, 임차건물 소재지에 주민등록이 등재되어 있어야 함.
     ※ 부모 · 형제, 친구 등 타인의 명의로 임대차계약을 체결한 경우 신청 불가
   • (연령) 만 19세~만 39세 이하(1981. 8. 11.~2002. 8. 10.)
     ※ 연령 기준은 신청 · 접수 시작일(2021. 8. 10.) 기준으로 하며, 선정된 이후 기준 연령을 초과하여도 계속 지원함.
   • (거주요건) 임차보증금 5천만 원 이하, 월세 60만 원 이하의 건물에 월세로 거주하는 무주택자
     ※ 단, 월세 60만 원 초과자 중, 보증금 월세 환산액과 월세액을 합산하여 70만 원 이하인 경우 신청 가능(전월세 환산율은 2.5% 적용)
       ㉮ 보증금 4천만 원, 월세 62만 원의 경우: 4천만 원×2.5%÷12개월+월세 62만 원=70만 원으로 신청 가능
     ※ 천 원 단위는 절사함
     – 주택 및 비주택(고시원 등) 동일하게 지원 가능
     – 보증금이 없는 월세는 신청 가능하나, 월세가 없는 전세계약은 신청 제외됨.
     – 신청일 이후 월세는 신청인 명의로 납부(계좌이체)하여야 함.
   • (소득요건) 가구당 기준 중위소득 150% 이하
     ※ 신청인의 건강보험이 피부양자(건강보험상 부모 등의 세대원으로 등록)인 경우 주민등록이 별도 분리되어 있어도 부양자 부과액 기준
     ※ 건강보험료 부과액 조회가 어려운 경우 별도의 소득 증빙자료를 요청할 수 있음
   ◆ 사업신청 제외 대상자
     • 임차보증금 5천만 원을 초과하는 사람
     • 주택 소유자, 분양권 또는 조합원 입주권이 있는 사람
     • 일반재산 총액 1억 원을 초과하는 사람
     • 차량시가표준액 2,500만 원 이상의 자동차를 소유한 사람
     • 국민기초생활수급을 받고 있는 사람(생계, 의료, 주거급여 대상자)
       ※ 국민기초생활수급자 중 '교육급여' 대상자는 신청 가능
     • A시 청년수당을 받고 있는 사람
       ※ '사업 신청일' 기준, 청년수당 수급 종료된 경우 신청 가능

- 공공주택 특별법에 따른 행복주택, 전세임대주택, 매입임대주택, 역세권 청년주택, 희망하우징 등 공공임대주택에 거주하는 사람
- 임대인(임차건물 집주인)이 신청인의 '부모'인 경우

17 **주어진 자료에 대한 설명으로 옳은 것을 고르면?**

① 셰어하우스에 거주하는 경우에는 거주민 중 한 사람만 지원받을 수 있다.
② 만 39세의 청년이 6개월간 지원을 받고 만 40세가 되었다면 더 이상 지원을 받을 수 없다.
③ 현재 A시 '주택바우처'를 받고 있거나 과거 청년수당 수급을 받은 이력이 있는 경우에도 신청 가능하다.
④ B시에 주민등록이 되어 있어도 A시에 거주 중이라면 신청이 가능하다.
⑤ 국민기초생활수급을 받고 있다면 신청이 불가능하다.

18 **A시 청년월세지원사업에 신청할 수 있는 사람의 수를 고르면?**(단, 모두 소득분위 조건을 만족하며, 주어진 조건 외 다른 조건은 고려하지 않는다.)

구분	보증금	월세	연령	비고
A	4,000만 원	30만 원	만 24세	
B	4,500만 원	65만 원	만 35세	
C	6,000만 원	15만 원	만 18세	
D	3,000만 원	없음	만 36세	보증금 3,000만 원 전세계약
E	없음	60만 원	만 19세	
F	6,000만 원	20만 원	만 22세	
G	3,000만 원	60만 원	만 32세	

① 2명 ② 3명 ③ 4명
④ 5명 ⑤ 6명

19 다음 [조건]을 바탕으로 A가 가전을 구매하는 데 사용한 총비용을 고르면?

조건

- A는 이사를 가면서 집안의 가전을 모두 바꾸고자 한다.
- 냉장고, TV, 세탁기, 에어컨, 컴퓨터를 구매 예정이며, 품목별로 모두 다른 브랜드에서 구매하고자 한다.
- 각 브랜드는 1~5층으로 되어 있는 전자상가에서 한 층씩을 맡아 판매하고 있다.

구분	1층	2층	3층	4층	5층
입점 브랜드	L사	W사	S사	H사	D사

- 세탁기는 컴퓨터보다 높은 층, TV보다 낮은 층에서 구매한다.
- 냉장고는 에어컨보다 높은 층, 세탁기보다 낮은 층에서 구매한다.
- 컴퓨터는 짝수층에서 구매한다.
- 브랜드별 각 품목의 가격은 다음과 같다.

구분	L사	W사	S사	H사	D사
냉장고	160만 원	165만 원	170만 원	150만 원	155만 원
TV	75만 원	80만 원	85만 원	95만 원	90만 원
세탁기	130만 원	115만 원	120만 원	125만 원	110만 원
에어컨	245만 원	235만 원	250만 원	240만 원	230만 원
컴퓨터	100만 원	105만 원	120만 원	115만 원	110만 원

① 705만 원　② 715만 원　③ 725만 원

④ 735만 원　⑤ 745만 원

20 다음은 어느 시의 한옥 건축 · 수선 지원 안내이다. 이를 바탕으로 지원자 A~D가 받을 수 있는 최대 지원금액의 합을 고르면?

○ 지원대상: 한옥 건축(신축 · 개축) 또는 한옥으로 등록된 한옥 건축물의 수선
○ 지원내용: 한옥 건축 · 수선 시 공사비용 지원
○ 신청방법: A시 한옥지원팀으로 한옥 비용 지원 신청 및 한옥 등록 신청
○ 신청절차: 대상 한옥의 한옥 수선 및 신축 계획을 도면 등으로 작성하여 사업소에 신청 후 A시 한옥위원회 심의를 통하여 비용지원 여부 및 금액 결정
○ 신청과정
건축 허가/신고 전 사전 협의 → 한옥 설계 도면 작성 및 공사비 산정 → 사업소 한옥 보조금 신청 → 한옥위원회 심의(지원여부 및 지원금액 결정) → (건축과) 건축허가/착공신고 → (사업소) 착수 신고 → (건축과) 건축물 사용승인 → (사업소) 공사 완료신고 → 현장조사 및 한옥위원회 개최 → 보조금 지급 및 한옥 등록
○ 건축 · 수선 등의 비용지원

구분	건축 연면적	최고 지원금액(천 원)		
		신 · 개축 (공사비 50% 범위 내)	내부 수선 (공사비 50% 범위 내)	외관 수선 (공사비 범위 내)
한옥 촉진 지역 내	$70m^2$ 미만	80,000	60,000	30,000
	$70m^2$ 이상 $90m^2$ 미만	95,000	70,000	
	$90m^2$ 이상 $110m^2$ 미만	120,000	90,000	
	$110m^2$ 이상	150,000	110,000	
한옥 촉진 지역 외		80,000	60,000	10,000

※ 상기 금액은 최고 지원금액이며 한옥위원회 심의 시 비용 지원여부 및 지원금액을 결정함

[표] 지원자별 한옥 공사 내역

지원자	위치	건축 연면적	공사 내용	공사비
A	한옥 촉진 지역 내	$100m^2$	신축	3억 원
B	한옥 촉진 지역 내	$150m^2$	개축	1.6억 원
C	한옥 촉진 지역 외	$80m^2$	외관 수선	900만 원
D	한옥 촉진 지역 내	$60m^2$	외관 수선	3,800만 원

① 23,900만 원 ② 24,700만 원 ③ 25,800만 원
④ 27,400만 원 ⑤ 30,900만 원

21 어느 행사장에서 이벤트로 인기 드라마에 나온 서바이벌 게임을 진행하였다. 다음 글을 근거로 판단할 때 적립된 상금은 최소 얼마인지 고르면?

[게임 규칙]

총 6개의 게임을 진행한다. 첫 번째 게임에서 탈락한 인원만큼 1인당 1만 원이 상금으로 적립되고, 두 번째 게임에서 탈락한 인원만큼 1인당 2만 원이 상금으로 적립되고, 세 번째 게임에서 탈락한 인원만큼 1인당 3만 원이 적립되고, 네 번째 게임에서 탈락한 인원만큼 1인당 4만 원이 적립되고, 다섯 번째 게임에서 탈락한 인원만큼 1인당 5만 원이 적립되고, 여섯 번째 게임에서 탈락한 인원만큼 1인당 6만 원이 적립된다. 최종적으로 남은 인원들이 적립된 상금을 동일하게 나누어 가진다. 이벤트에 참여한 인원이 최종 승리자가 1명 이상이 될 수 있을 정도로 모였을 때 이벤트를 시작한다. 각 게임에 통과한 인원들은 반드시 다음 게임에 참가한다.

[게임 결과]

- 첫 번째 게임: 첫 번째 게임에서는 참가자의 절반 이상이 탈락하였다. 통과한 인원은 32의 배수이다.
- 두 번째 게임: 두 번째 게임에서는 4가지의 그림 중 하나를 골라 게임을 진행하였다. 통과 인원은 두 번째 게임 인원의 1/4이다.
- 세 번째 게임: 두 번째 게임을 통과한 인원을 8팀으로 동일하게 나누어 두 팀씩 경기를 진행하였다. 총 네 번의 경기를 했고, 두 팀씩 경기했을 때 각각 이긴 팀이 통과하였다.
- 네 번째 게임: 세 번째 게임을 통과한 인원들이 2명씩 짝지어 경기를 진행하였다. 2명 중 이긴 1명이 통과하였다.
- 다섯 번째 게임: 네 번째 게임을 통과한 인원 중 16명이 탈락하였다.
- 여섯 번째 게임: 다섯 번째 게임을 통과한 인원을 두 팀으로 동일하게 나누어 경기를 진행하였다. 두 팀 중 이긴 팀이 최종 승리하고, 최종 승리한 인원이 적립된 상금을 동일하게 나누어 가졌다.

① 690만 원　② 720만 원　③ 864만 원
④ 986만 원　⑤ 1,024만 원

22 다음은 어느 고등학교의 육상 대표 선발 방식이다. 이를 바탕으로 옳은 것을 모두 고르면?

육상부 선수 6명 A~F 중 학교를 대표하여 시 육상 시합에 나갈 선수 2명을 선발하려고 한다. 총 5번의 예선 경기를 하고, 1번의 본선 경기를 한다. 결과에 따라 선수 2명과 후보 선수 1명을 선발한다. 평가 방식과 현재까지의 결과는 아래와 같다.

[예선 평가 방식]

1위 선수는 5점, 2위 선수는 4점, 3위 선수는 2점, 4위 선수는 1점을 부여하고, 5위, 6위 선수에게는 점수를 부여하지 않는다. 5번의 경기 후 최종 점수에 따라 순위를 매긴다. 최종 점수가 동일한 경우 1위를 더 많이 한 선수의 순위가 더 높고, 1위 개수가 동일한 경우 2위를 더 많이 한 선수의 순위가 더 높고, 2위 개수가 동일한 경우 3위를 더 많이 한 선수의 순위가 더 높다. 이에 따라 순위를 결정짓지 못하는 경우 마지막 경기의 순위가 더 높은 선수의 순위가 더 높다.

[본선 평가 방식]

예선에서 1~4위를 한 선수가 경기를 한 번 더 진행하여 예선 다섯 경기의 총점과 합산을 하여 최종 1위, 최종 2위인 선수가 대표로 선발되고, 최종 3위인 선수가 후보 선수로 선발된다. 합산 점수가 동일한 경우 본선 경기의 순위가 더 높은 선수의 순위가 더 높다.

• 현재 예선 경기를 네 경기 진행하였고, 현재까지의 결과가 다음과 같다.

선수	1회	2회	3회	4회
A	1위	4위	3위	5위
B	6위	5위	2위	3위
C	5위	3위	1위	2위
D	2위	2위	4위	6위
E	3위	1위	5위	1위
F	4위	6위	6위	4위

보기

㉠ B는 최종 2위로 본선에 진출할 수 있다.
㉡ F는 본선에 진출할 수 없다.
㉢ E가 대표 선수 또는 후보 선수로 선발되지 않을 수 있다.
㉣ C는 본선에 진출하지 않을 수 있다.

① ㉠, ㉡　② ㉡, ㉢　③ ㉠, ㉡, ㉢
④ ㉠, ㉡, ㉣　⑤ ㉡, ㉢, ㉣

23 다음 [조건]을 바탕으로 A~E 신입사원에 대한 설명으로 옳지 않은 것을 고르면?

조건

- 입사한 5명의 신입사원은 나이가 모두 다르다.
- C는 E보다 한 살이 많고 D보다 세 살이 어리다.
- B는 A보다 네 살이 많다.
- A와 D의 나이 합은 B와 E의 나이 합과 같다.
- 나이가 가장 어린 신입사원은 24세이고 나이가 가장 많은 신입사원은 31세이다.

① 나이가 가장 어린 사람은 A이다.
② 나이가 두 번째로 많은 사람은 28세이다.
③ 나이가 세 번째로 많은 사람은 27세이다.
④ 나이가 두 번째로 적은 사람은 C이다.
⑤ B는 D보다 나이가 많다.

24 **다음 [조건]을 바탕으로 선호하는 음식과 저녁식사를 한 메뉴가 일치하는 사람이 선호하는 음식을 고르면?**

조건

- 갑, 을, 병, 정, 무는 월~금요일 중 하루를 골라 구내식당에 가서 저녁식사로 그날의 할인 메뉴를 먹었으며, 각각이 선호하는 음식은 다음과 같다.

갑	을	병	정	무
돈가스	갈비탕	파스타	짜장면	초밥

- 본인이 선호하는 음식을 저녁식사로 먹는 사람은 1명이다.
- 을은 무가 식사한 다음 날에 식사를 하였고, 병은 정이 식사하기 전날에 식사를 하였다.
- 갑은 수요일에 식사를 하지 않고, 정은 화요일에 식사를 하지 않는다.
- 요일별로 할인하는 메뉴는 다음과 같다.

월	화	수	목	금
초밥	돈가스	파스타	갈비탕	짜장면

① 초밥　　② 돈가스　　③ 파스타
④ 갈비탕　　⑤ 짜장면

25 **탕비실에 5개의 과자를 비치해 두고자 한다. 다음 [조건]을 바탕으로 배치할 때 가능하지 않은 경우를 고르면?**(단, 선택지 ①~⑤의 순서는 왼쪽 끝부터 배치된 순서이다.)

조건

- 탕비실에 초코, 딸기, 바나나, 멜론, 바닐라 과자를 비치해 두고자 한다.
- 바나나, 멜론 과자는 양 끝에 있지 않다.
- 딸기 과자는 가장 끝에 있다.
- 멜론 과자 옆에는 바닐라 과자가 있다.
- 왼쪽 끝부터 숫자를 1부터 세어봤을 때 바나나 과자는 짝수 번째에, 초코 과자는 홀수 번째에 있다.

① 딸기 – 바나나 – 초코 – 멜론 – 바닐라
② 딸기 – 멜론 – 바닐라 – 바나나 – 초코
③ 바닐라 – 멜론 – 초코 – 바나나 – 딸기
④ 딸기 – 초코 – 바나나 – 멜론 – 바닐라
⑤ 초코 – 바나나 – 바닐라 – 멜론 – 딸기

26 다음 [조건]을 바탕으로 갑이 연차를 쓴 날에 해야 할 일로 옳게 짝지어진 것을 고르면?

| 조건 |

- 갑이 이번 주에 해야 하는 업무는 다음과 같다.
  1) 수원 공장 출장, 2) 임원 보고 참석, 3) 업체 미팅, 4) 신제품 초안 설계
- 월~금요일 중 하루에 하나씩 위의 업무를 수행하며, 남는 하루에는 연차를 사용한다.
- 연차를 쓰기 전날은 수원 공장에 출장을 다녀온다.
- 신제품 초안 설계를 한 다음 날에 임원 보고에 참석한다.
- 업체 미팅은 금요일에 하지 않고, 연차 사용과 연달아서 하지 않는다.
- 목요일은 수원 공장 전체 야유회 날이라 출장을 갈 수 없다.
- 갑이 연차를 쓰고 할 수 있는 일은 다음과 같다.

구분	월	화	수	목	금
세차장		예약마감	예약마감	예약마감	
은행	예약마감	예약마감			예약마감
서점		휴무		휴무	휴무
병원	예약마감		예약마감	예약마감	
세탁소	예약마감		예약마감		예약마감

① 세차장, 서점 방문
② 병원, 세탁소 방문
③ 은행, 서점 방문
④ 은행, 세탁소 방문
⑤ 세차장, 병원 방문

27 야근을 하는 10명의 직원들이 법인카드를 이용하여 저녁식사를 하고자 한다. 다음 [조건]을 바탕으로 저녁 식사를 함께 할 수 있는 조합으로 옳지 않은 것을 고르면?

조건

- 저녁 식사는 2인 1조 혹은 3인 1조로 하여 총 4조로 구성한다.
- 감염 예방을 위해 백신 접종자와 비접종자는 함께 식사를 하지 않도록 한다.
- 감염 예방을 위해 같은 팀의 팀원들은 함께 식사를 하지 않는다.
- 나연과 준수는 함께 식사를 하였고, 가영과 오현은 함께 식사를 하였다.
- 각 조의 한 명씩은 법인카드를 소유하고 있다.

구분	백신 접종 여부	소속 팀	법인카드 소유여부
가영		영업팀	○
나연	○	마케팅팀	○
다은		마케팅팀	
라희	○	영업팀	
문호		기획팀	○
병철		영업팀	
선호	○	회계팀	○
오현		마케팅팀	
준수	○	영업팀	
철언	○	회계팀	

① 가영 – 오현
② 나연 – 준수 – 철언
③ 다은 – 문호 – 병철
④ 라희 – 선호
⑤ 다은 – 병철 – 오현

28 **갑과 을이 가위바위보 게임을 하고 있다. 다음 규칙으로 게임을 할 때, 게임의 진행 및 결과에 대한 설명으로 옳은 것을 고르면?**

- 가위바위보를 하여 이긴 사람은 앞으로 세 칸, 진 사람은 뒤로 한 칸, 비긴 사람은 앞으로 한 칸 움직인다.(단, 시작 지점인 1에서는 지더라도 뒤로 가지 않는다.)
- 15에 먼저 도달하는 사람이 승리한다.
- 멈춘 자리에 지령이 있을 경우 해당 지령대로 움직인다.

1	2	3	4	5	6	7	8
			1칸 뒤로				2칸 앞으로
9	10	11	12	13	14	15	
		3칸 앞으로			4칸 뒤로	(승리)	

- 두 사람의 가위바위보 경기 승패는 다음과 같다.

구분	1	2	3	4	5	6	7	8	9	10	11	12
갑	주먹	가위	보	주먹	주먹	가위	가위	가위	가위	주먹	가위	가위
을	보	보	주먹	보	가위	가위	보	주먹	보	주먹	보	주먹

① 갑은 지령이 있는 칸에 2번 멈춘다.
② 을은 지령이 있는 칸에 4번 멈춘다.
③ 승자가 결정되었을 때, 패자는 8보다 작은 숫자에 위치해 있다.
④ 승자는 을이다.
⑤ 을은 승자가 정해질 때까지 가위바위보를 4번 이겼다.

29 다음과 같은 [게임 규칙]을 바탕으로 A와 B가 게임을 하고 있다고 할 때, 옳지 않은 것을 [보기]에서 모두 고르면?

[게임 규칙]

3×3 빙고판에 3부터 11까지의 수를 하나씩 무작위로 적는다. 두 사람이 차례대로 각 면에 1~6이 하나씩 적힌 주사위를 던져 주사위의 합에 해당하는 숫자를 지운다. 주사위의 합이 2 또는 12가 나오거나 이미 나온 숫자인 경우에는 새로운 수가 나올 때까지 같은 시행을 반복한다. 가로 또는 세로 또는 대각선의 숫자를 먼저 지우는 사람이 빙고를 외치고 승리한다. 만약 동시에 한 줄의 빙고를 완성한 경우 새로 주사위를 던져 다음 빙고를 외치는 사람이 승리한다.

- A와 B는 빙고판에 각각 다음과 같이 숫자를 적었다.

6	9	11
10	3	8
4	7	5

〈A의 빙고판〉

11	10	7
5	8	6
4	3	9

〈B의 빙고판〉

- A가 먼저 주사위를 던지고, 다음으로 B가 주사위를 던진다.

보기

㉠ 첫 번째 빙고에서 승부가 결정 나지 않을 수 있다.
㉡ 첫 번째로 던진 주사위의 합이 10이고, 주사위를 두 번 더 던져 빙고를 완성한다면 이길 확률은 A가 B보다 높다.
㉢ 현재 4, 5, 9가 지워진 상황이고, A와 B가 각각 주사위를 한 번 더 던져 빙고를 완성한다면 이길 확률은 B가 A보다 높다.

① ㉠ ② ㉡ ③ ㉢
④ ㉡, ㉢ ⑤ ㉠, ㉡, ㉢

30 **다음은 K대학교의 성적 부여 방식과 K대학교에 다니는 상우의 1학기 수강내역과 성적이다. 이를 근거로 판단할 때, [보기]에서 옳은 것만을 모두 고르면?**(단, 평점 평균은 소수점 둘째 자리에서 반올림한다.)

K대학교 교과목 성적 평정(학점)은 총점을 기준으로 상위 점수부터 하위 점수까지 A^+, A^0, B^+, B^0, C^+, C^0, D^+, D^0, F 순이다. 수강 인원이 15명 이하인 교과목과 P/F인 과목은 절대평가 방식을 따르고, 수강 인원이 20명 이상인 교과목은 상대평가 방식을 따른다. 절대평가의 경우 95점 이상은 A^+, 90점 이상 95점 미만은 A^0, 85점 이상 90점 미만은 B^+, 80점 이상 85점 미만은 B^0, 75점 이상 80점 미만은 C^+, 70점 이상 75점 미만은 C^0, 60점 이상 70점 미만은 D^+, 50점 이상 60점 미만은 D^0, 50점 미만은 F를 부여한다. P/F의 경우에 P를 받으면 해당 교과목을 이수, F를 받으면 해당 교과목을 미이수한 것으로 한다. 상대평가의 경우 성적이 상위인 학생부터 A^+와 A^0를 합하여 20~30%, B^+와 B^0를 합하여 30~45%, C^+와 C^0를 합하여 10~50%, D^+, F를 합하여 0~40% 부여할 수 있다. 각 등급 내에서 +와 0의 비율은 교수의 재량으로 정할 수 있다.

학점은 A^+는 4.5점, A^0는 4점, B^+는 3.5점, B^0는 3점, C^+는 2.5점, C^0는 2점, D^+는 1.5점, D^0는 1점, F는 0점이다. P/F 교과목의 P의 경우 4점, F의 경우 해당 교과목을 미이수한 것으로 처리한다. 학기별 평점 평균은 (교과목별 '이수 시간×학점'의 합)÷(교과목 총이수 시간)으로 계산한다. 이때 P/F 과목에서 F를 받은 경우 이수 시간에 포함하지 않는다.

다음은 상우의 1학기 수강내역과 성적이다.

교과목	이수 시간	총이수 인원	성적	등수
가	3	100명	78점	31등
나	2	20명	82점	9등
다	1	12명	F	–
라	3	50명	93점	3등
마	3	15명	88점	10등
바	1	20명	P	–
사	3	60명	67점	33등
아	2	15명	91점	2등

보기

㉠ 다, 바 과목을 제외하고, 상우는 모든 과목의 학점이 C^0 이상이다.
㉡ 모든 교과목의 교수님이 학점을 최대한 높게 준다고 할 때, 상우의 1학기 평점 평균은 3.7이다.
㉢ 상우가 이번 학기에 B^+를 받을 수 있는 교과목은 총 3개이다.

① ㉠ ② ㉡ ③ ㉠, ㉡
④ ㉠, ㉢ ⑤ ㉡, ㉢

31 S국에서는 다음에 따라 학교에 지원금을 지급하기로 하였다. 이를 바탕으로 A~D 학교가 받을 수 있는 지원금 합의 최댓값과 최솟값의 차이를 고르면?

S국에서는 학교의 위치, 학생 수에 따라 다음과 같이 구분하여 지원금을 지급하고 있다.

구분	지원금
• 특별시, 광역시에 위치하면서 학생 수가 500명 이하인 학교	3,000만 원
• 특별시, 광역시에 위치하면서 학생 수가 500명을 초과하는 학교 • 시에 위치하면서 학생 수가 400명을 초과하는 학교	4,000만 원
• 시에 위치하면서 학생 수가 400명 이하인 학교 • 군에 위치하면서 학생 수가 200명 이하인 학교	2,000만 원
• 군에 위치하면서 학생 수가 200명을 초과하는 학교	3,500만 원
• 위치에 관계없이 학생 수가 50명 이하인 학교	1,000만 원

S국에 위치한 학교별 정보는 다음과 같다.

학교	위치	학생 수
A	?	400명
B	광역시	?
C	군	?
D	?	40명

① 5,000만 원　② 6,000만 원　③ 7,000만 원
④ 8,000만 원　⑤ 9,000만 원

[32~33] 다음은 갑 공기업의 신입사원 채용을 위한 평가 기준과 갑 기업에 지원한 지원자들의 성적에 관한 자료이다. 이를 바탕으로 질문에 답하시오.

갑 공기업에서는 다음 기준에 따라 신입사원 2명을 채용하려고 한다.

• 서류 전형 점수는 다음과 같이 계산한다.

– 자기소개서, 전공 성적, 어학 성적의 환산 점수의 합을 계산한다. 각 항목의 만점은 각각 50점, 30점, 20점이다.

– 장애인인 경우 1점, 청년 인턴 경력이 있는 경우 2점, 생계곤란자인 경우 0.5점이 추가된다.

– 장애인 가점을 제외하고 가점은 중복으로 부여하지 않으며 가점이 더 높은 것 한 가지만 인정된다.

– 서류 전형에서는 총점이 높은 순으로 3배수를 선발한다. 총점이 동일하면 가점을 제외한 점수가 더 높은 지원자의 순위가 더 높고, 가점을 제외한 점수도 동일한 경우 자기소개서 점수가 더 높은 지원자의 순위가 더 높다.

– 서류 전형 결과 지원자 A~J의 평가 점수가 다음과 같다.

지원자	서류 전형(점)			가점		
	자기소개서	전공	어학 성적	장애인	청년 인턴	생계곤란자
A	38	24	15	○		
B	42	29	14			
C	36	24	20		○	○
D	43	23	17			
E	44	20	18	○	○	
F	44	26	17	○		○
G	45	28	16			
H	48	26	20			
I	40	30	15		○	
J	40	28	19			○

• 필기 전형 점수는 다음과 같이 계산한다.

– NCS, 전공, 적성으로 나누어 필기시험을 본다. 각 시험의 만점은 각각 30점, 50점, 20점이다.

– 전공 관련 자격증이 있는 경우 전공 성적에서 자격증 개수당 1점이 추가된다. 최대 3개까지 인정한다.

– 필기 전형에서는 총점이 높은 순으로 2배수를 선발한다. 총점이 동일하면 전공 성적이 더 높은 지원자의 순위가 더 높다.

– 필기 전형 결과 서류 전형에서 1~6위를 한 지원자의 점수가 다음과 같다.

서류 전형	필기 전형(점)			
	NCS	전공	적성	전공 자격증 개수
1위	28	36	18	0개
2위	24	46	15	2개
3위	21	40	20	1개
4위	23	38	16	3개
5위	19	39	20	5개
6위	26	43	16	1개

• 면접 전형에서는 다음과 같이 최종 합격자를 선정한다.
- 리더십, 창의력, 직무능력을 각각 최상, 상, 중, 하로 나누어 평가한다.
- 리더십과 창의력의 경우 최상은 30점, 상은 25점, 중은 15점, 하는 10점을 부여한다.
- 직무능력의 경우 최상은 40점, 상은 30점, 중은 20점, 하는 10점을 부여한다.
- 면접 전형에서 총점이 높은 순으로 최종 선발한다. 총점이 동일하면 필기 전형 점수의 순위가 더 높은 지원자의 순위가 더 높다.
- 면접 전형 결과 필기 전형에서 1~4위를 한 지원자의 평가 점수가 다음과 같다.

필기 전형	면접 전형		
	리더십	창의력	직무능력
1위	최상	중	상
2위	상	최상	중
3위	최상	상	중
4위	중	상	최상

32 다음 중 서류전형에서 불합격한 지원자를 고르면?

① B ② E ③ F ④ I ⑤ J

33 다음 중 갑 공기업에 최종 합격한 지원자로 알맞게 짝지은 것을 고르면?

① B, H ② C, H ③ E, H
④ G, H ⑤ B, G

34 어느 카페를 운영하는 김 씨는 핼러윈 이벤트로 호박케이크를 만들려고 한다. 이때 김 씨가 구입해야 하는 재료들의 총재료비를 고르면?

카페를 운영하는 김 씨는 다음 [조건]에 따라 핼러윈 이벤트로 호박케이크를 만들어 판매하려고 한다. 현재 가지고 있는 재료와 호박케이크를 만드는 데 필요한 재료는 다음과 같다.

[조건]
- 김 씨는 호박케이크 5개와 미니 호박케이크 30개를 만들려고 한다.
- 미니 호박케이크는 호박케이크의 5분의 1 크기이고, 필요한 재료의 양 또한 5분의 1이다.
- 견과류 알레르기가 있는 사람들을 위하여 호박케이크 1개와 미니 호박케이크 5개에는 견과류를 넣지 않는다.
- 견과류를 넣지 않는 케이크에는 블루베리 30개를 넣는다.
- 당도 조절을 위하여 설탕은 절반씩만 넣는다.
- 재료는 필요한 양만큼 반드시 구입해야 하며, 구입할 수 있는 최소 개수만큼 구입한다.

[호박케이크 재료(1개 분량)]
박력분 180g, 베이킹소다 3g, 땅콩 20개, 소금 10g, 버터 80g, 설탕 100g, 계란 2개, 찐 단호박 1개, 우유 80ml, 아몬드 10개, 구운 피칸 5개

[현재 가지고 있는 재료]
중력분 3kg, 박력분 1kg, 베이킹소다 20g, 소금 500g, 설탕 1kg, 계란 12개, 애호박 5개, 우유 500ml, 땅콩 200개

[재료별 가격]

재료	구입 가능 최소 단위	가격
박력분	500g	6,000원
베이킹소다	100g	2,000원
땅콩	200개	8,000원
소금	200g	3,000원
버터	100g	5,000원
설탕	100g	4,000원
계란	15개	5,000원
단호박	4개	10,000원
우유	100ml	1,500원
아몬드	20개	5,000원
피칸	10개	3,000원
블루베리	100개	10,000원

① 136,000원　② 140,000원　③ 142,000원
④ 146,000원　⑤ 150,000원

35 **다음은 코로나19 바이러스 관련 K국의 입국 조건이다. 이를 바탕으로 김 씨가 회사에 다시 출근할 수 있는 날을 고르면?**(단, 국가별 시차 및 이동시간은 없다고 가정한다. 입국 시 격리는 입국한 날부터 시행하며 격리일의 마지막 날에 격리해제가 된다.)

• 출국지를 3개 구분(Green, Red, Exceptional Red)으로 나누어 상이한 방역조치 적용
 ※ Exceptional Red List발 백신 미접종자는 입국 불허
 – Exceptional Red List 국가에서 출발하는 입국자는 입국 후 36시간 내 추가 검사 실시(시설격리 시 격리시설에서 검사 진행)
• 모든 입국자 공통 적용 방역조치
 ※ 입국 시 도착 전 72시간 이내 발급받은 코로나19 PCR 음성확인서 지참
 – 백신접종완료 K국 국민·거주자 및 Green 국가의 국민의 경우 입국 시 상기 음성확인서 지참 불요(단, 입국 후 36시간 내 검사 실시)
 ※ 입국 후 동선 확인 어플 설치 필요(local, international sim 모두 사용 가능)
• 백신접종 여부에 따라 입국 후 상이한 격리 의무 적용
 ※ (백신접종 완료 기준) K국 공공보건부가 승인한 백신* 접종 완료 후 2주 경과
 * A백신, B백신, C백신, D백신/ (조건부승인)E백신, F백신, G백신
 – 교차접종 인정(A백신/B백신/C백신 중 2개 접종)
 – 조건부승인 백신 접종자는 입국 전 실시한 항체 양성 검사서 함께 제출 필요
 1) 백신접종 완료자
  – Green List(한국 포함) 출발 시: 격리 면제
  – Red List 출발 시: 4일 시설격리(K국 국민·거주자는 격리 제외)
  – Exceptional Red List 출발 시: 7일 시설격리(K국 국민·거주자는 7일 자가격리)
 2) 백신 미접종자
  – Green List(한국 포함) 출발 시: 7일 격리(K국 국민·거주자는 자가격리, 그 외는 시설격리)
  – Red List 출발 시: 14일 격리(K국 국민·거주자는 자가격리, 그 외 시설격리)
  – Exceptional Red List 출발 시: 입국불허(K국 국민·거주자는 7일 시설격리)

| 상황 |

김 씨는 현재 P국에서 출장 업무를 수행하고 있다. P국에서의 업무가 완료되면 K국에 출장을 갈 예정이다. P국은 K국에서 Red List에 등록되어 있는 국가이고, 김 씨는 A백신과 C백신을 교차접종하여 백신접종을 완료하였다. 김 씨는 K국에서의 출장 업무를 K국에 도착한 날로부터 3박 4일을 수행하거나 K국에서 격리 시 격리해제된 날로부터 3박 4일 수행한 후 마지막 날 한국에 다시 돌아올 예정이다. 출장 업무 시 휴일은 고려하지 않는다. 한국은 K국에서 입국한 백신접종 완료 국민의 경우 격리를 면제하지만, 7일 이내 P국 방문 이력이 있는 백신접종 완료자의 경우 7일간 자가격리를 실시한다. 김 씨의 회사에서는 자가격리 면제자라도 출국 국가에 관계없이 3일 이상의 자가격리 후 회사에 출근하도록 권고한다. 출근은 자가격리가 끝난 그다음 근무일에 한다. 근무일은 월요일 ~ 금요일이다. 김 씨는 11월 1일 월요일에 P국을 떠나 K국에 입국하였다.

① 11월 10일 ② 11월 11일 ③ 11월 12일
④ 11월 15일 ⑤ 11월 16일

36 어느 회사에서는 과장, 대리, 사원이 함께 프로젝트를 진행하려고 한다. 원활한 프로젝트 진행을 위해 다음 [규칙]에 따라 연락망을 만들었다고 할 때, 프로젝트에 참여하는 사원은 총 몇 명인지 고르면?

| 규칙 |

- 프로젝트 참여 인원수는 과장이 1명, 대리와 사원을 합한 수가 25명이다.
- 프로젝트 담당자는 과장이고, 처음에 프로젝트 담당자가 적어도 1명 이상의 대리를 포함하여 직원 4명에게 연락한다.
- 대리는 연락을 받으면 반드시 3명의 다른 직원에게 연락을 해야 한다.
- 사원은 연락을 받을 수만 있고, 다른 직원에게 연락할 수 없다.
- 각 직원들에게는 한 번씩만 연락을 한다.

① 14명　② 15명　③ 16명
④ 17명　⑤ 18명

37 **어느 회사에서는 감사팀 직원 1명이 다음과 같이 타 부서의 직원을 담당한다. 이때 필요한 감사팀 직원의 최소 인원수를 고르면?**

감사팀 직원 1명이 직급별로 담당할 수 있는 타 부서 직원의 최대 담당 인원수는 다음과 같다.

직급	최대 담당 인원
사원	사원 10명
대리	대리 8명
과장	과장 5명

사원, 대리, 과장을 혼합하여 타 부서 직원을 담당한다고 할 때, 최대 담당 인원수는 다음과 같다.

직급	최대 담당 인원
사원+대리	사원 7명, 대리 3명
사원+과장	사원 6명, 과장 4명
대리+과장	대리 5명, 과장 5명

이 회사의 사원은 50명, 대리는 40명, 과장은 30명이고, 4명 이하의 감사팀 직원이 두 개의 직급을 혼합하여 담당한다. 혼합 담당자들은 모두 '사원+대리', '사원+과장', '대리+과장' 중 하나의 경우만을 담당한다.

① 14명 ② 15명 ③ 16명
④ 17명 ⑤ 18명

38 **다음 글을 근거로 판단할 때, 진호가 오늘 퇴근 후 수행한 일과로 가능하지 않은 것을 고르면?**(단, 일과 수행시간 외 소요되는 시간은 고려하지 않는다.)

진호는 퇴근해서 집에 돌아오면 매일 다음과 같은 일과를 수행한다. 매일 모든 일과를 수행하지는 않지만 식사와 일기 쓰기는 반드시 수행하고, 샤워 또는 목욕 중 한 가지를 수행한다. 운동을 한 날에는 반드시 목욕을 하고, 드라마를 본 날에는 게임을 하지 않는다. 동시에 같은 일과를 수행할 수 없고, 같은 일과를 두 번 이상 수행하지 않는다. 수행하는 일과는 집에 돌아온 시간에 따라 다르다.

일과	수행시간
식사	25분
샤워	21분
목욕	36분
운동	38분
신문 읽기	6분
드라마 시청	58분
독서	25분
일기 쓰기	11분
게임	33분
청소	13분
온라인 쇼핑	26분

진호는 오늘 집에 도착한 시각인 오후 7시 20분부터 일과를 수행하였고, 일과를 수행하자마자 오후 10시에 바로 잠에 들었다.

① 운동　② 신문 읽기　③ 드라마 시청
④ 독서　⑤ 게임

39 **다음은 2020년 12월에 임의로 선정한 시민 1,000명에게 코로나19 이후 SNS 이용 변화에 대해 설문조사한 결과의 일부이다. 임의 선정된 시민의 a%가 SNS를 이용하고 있다고 응답했다고 할 때, a의 값을 고르면?**(단, 계산 시 소수점 첫째 자리에서 반올림한다.)

질문1. 사회적 거리두기로 인하여 귀하의 SNS 이용량은 어떻게 변화하였습니까?

[그래프] 사회적 거리두기로 인한 SNS 이용량 변화 (단위: %)

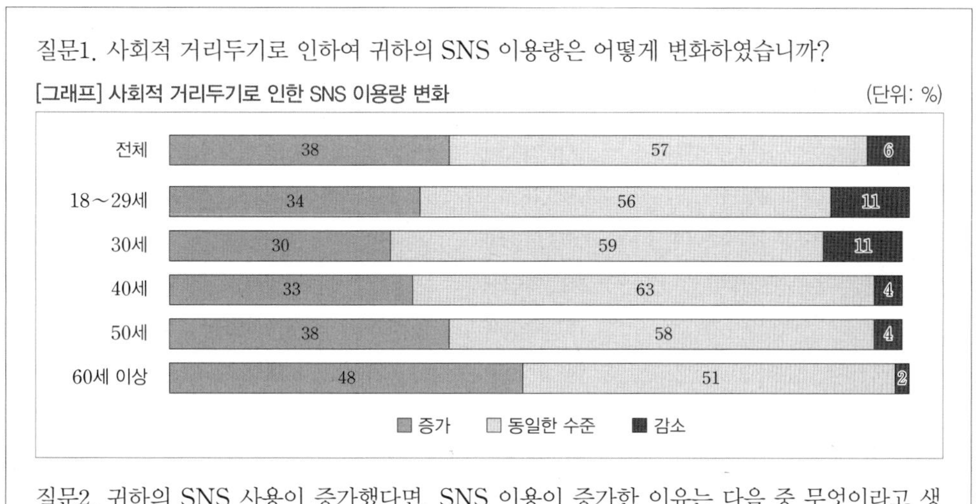

질문2. 귀하의 SNS 사용이 증가했다면, SNS 이용이 증가한 이유는 다음 중 무엇이라고 생각하십니까?

[표] 사회적 거리두기로 인한 SNS 이용 증가 원인 (단위: 명)

구분		사례 수	만나지 못하는 친구들과의 커뮤니케이션을 위하여	코로나 19 관련 뉴스 정보, 사건 사고 등을 습득 및 공유하기 위해	실내/야외에서 하는 여가 활동이 한정적이기 때문에	특별한 이유 없이 심심해서	직장스트레스와 같은 일상생활의 복잡함, 걱정거리를 잊기 위해	나의 일상을 기록하고 공유하고 싶어서	안 하면 뒤처지는 것 같아서
전체		311	65	43	32	30	11	9	4
연령	18~29세	54	50	17	28	67	14	11	6
	30~39세	39	49	19	27	51	9	20	12
	40~49세	49	57	51	36	20	16	11	6
	50~59세	63	74	52	29	22	12	5	2
	60세 이상	106	76	57	37	14	6	4	2

① 82 ② 83 ③ 84
④ 85 ⑤ 86

40 다음 [표]는 식품업체별 생산액, 국내판매액, 수출액 실적 현황에 대하여 상위 20개사를 조사한 것이다. 이에 대한 설명으로 옳지 않은 것을 고르면?

[표1] 식품업체별 생산액 및 국내판매액 실적 현황 – 상위20개사

순위	생산액		순위	국내판매액	
	업체명	금액(천 원)		업체명	금액(천 원)
1	씨제이제일제당㈜	2,115,666,865	1	씨제이제일제당㈜	2,571,636,718
2	하이트진로주식회사	1,779,213,809	2	롯데칠성음료주식회사	2,143,541,786
3	㈜농심	1,729,782,252	3	하이트진로주식회사	2,128,739,247
4	롯데칠성음료주식회사	1,674,013,800	4	㈜농심	1,453,951,179
5	롯데제과㈜	865,788,234	5	오비맥주㈜	1,209,252,909
6	㈜오뚜기	797,369,646	6	동서식품㈜	1,070,002,096
7	동서식품㈜	749,611,331	7	대상㈜	900,975,379
8	대상㈜	713,531,344	8	코카콜라음료㈜	881,552,212
9	㈜파리크라상	667,027,640	9	롯데제과㈜	789,221,292
10	롯데푸드주식회사	621,440,174	10	㈜오뚜기	725,688,899
11	㈜삼양사	592,352,834	11	㈜동원F&B	695,189,545
12	삼양식품㈜	555,731,159	12	㈜파리크라상	679,233,921
13	오뚜기라면㈜	541,120,033	13	㈜오리온	668,615,283
14	㈜크라운제과	538,104,064	14	롯데푸드주식회사	620,122,276
15	코카콜라음료㈜	445,530,172	15	㈜삼양사	602,376,023
16	㈜에스피씨삼립	434,451,616	16	㈜에스피씨삼립	461,511,521
17	㈜오리온	408,376,797	17	해태제과식품㈜	423,702,867
18	오비맥주㈜	402,026,237	18	매일유업㈜	400,820,429
19	해태제과식품㈜	380,389,120	19	오뚜기라면㈜	356,619,623
20	㈜팔도	302,622,989	20	㈜크라운제과	314,315,166

[표2] 식품업체별 수출액 실적 현황 – 상위20개사

순위	수출액	
	업체명	금액($)
1	삼양식품㈜	512,755,087
2	㈜농심	178,971,298
3	씨제이제일제당㈜	170,330,361
4	㈜삼양사	126,251,261
5	롯데네슬레코리아주식회사	124,825,492
6	롯데칠성음료주식회사	115,672,745
7	대상㈜	113,925,997
8	대한항공씨앤디서비스주식회사	100,554,692
9	대한제당㈜	89,013,524
10	오비맥주㈜	82,842,679
11	㈜신안천사김	71,030,612
12	하이트진로주식회사	67,465,129
13	동아오츠카㈜	59,760,258
14	㈜팔도	53,432,666
15	오케이에프음료주식회사	51,167,882
16	사조씨푸드㈜물류센타	42,302,143
17	주식회사진로소주	37,814,899
18	코스맥스엔비티㈜	37,577,095
19	㈜오리온	36,504,352
20	㈜크라운제과	35,711,020

① 생산액 상위 20개사 중 국내판매액 상위 20개사에 포함되지 않으면서 수출액 상위 20개사에 포함된 업체는 2곳이다.

② 생산액, 국내판매액, 수출액 상위 20개사 중 국내판매액 상위 20개사에만 포함된 업체는 2곳이다.

③ 1위 업체와 20위 업체의 생산액 차는 국내판매액에서의 차보다 작다.

④ 1$당 환율이 1,200원이면 삼양식품㈜의 수출액은 생산액 1위 업체의 생산액보다 많다.

⑤ 1$당 환율이 1,100원이면 ㈜크라운제과의 국내판매액은 수출액의 8배 이상이다.

41 다음 [표]와 [그래프]는 상용근로자 1인당 노동비용에 대한 자료이다. 이를 바탕으로 작성한 보고서 내용으로 옳지 않은 것만을 모두 고르면?

[표] 항목별 직·간접노동비용 추이 (단위: 천 원)

구분	2017년		2018년		2019년		2020년	
		전년 대비 증가율		전년 대비 증가율		전년 대비 증가율		전년 대비 증가율
총노동비용	5,024	1.8%	5,196	3.4%	5,342	2.8%	5,409	1.3%
직접노동비용	3,995	1.4%	4,147	3.8%	4,252	2.5%	4,284	0.8%
정액급여 및 초과급여	3,237	2.0%	3,384	4.5%	3,520	4.0%	3,630	3.1%
상여금 및 성과급	758	−0.7%	763	0.7%	732	−4.1%	654	−10.7%
간접노동비용	1,029	−3.2%	1,049	1.9%	1,090	3.9%	1,125	3.2%
퇴직급여 등의 비용	449	−1.6%	442	−1.6%	456	3.2%	472	3.5%
법정 노동비용	340	−2.9%	359	5.6%	382	6.4%	398	4.2%
법정 외 복지비용	211	−6.8%	219	3.8%	224	2.3%	234	4.5%
교육훈련 비용	24	−8.1%	24	0.0%	22	−8.3%	16	−27.3%
채용 관련 비용	5	−5.9%	5	0.0%	6	20.0%	5	−16.7%

[그래프] 항목별 법정 외 복지비용 (단위: 천 원)

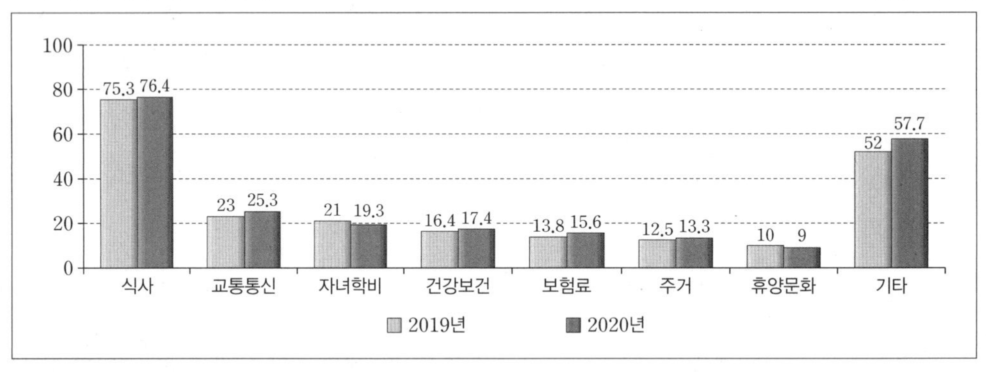

※ 법정 외 복지비용 중 '기타'에는 사내근로복지기금 출연금, 우리사주제도 지원금, 보육지원금, 경조비, 피복비, 전근 이사지원비 등이 포함됨

보고서

－2020회계연도 상용근로자 10인 이상 기업체의 상용근로자 1인당 월평균 노동비용－

○ 2020회계연도 상용근로자 10인 이상 기업체의 상용근로자 1인당 월평균 노동비용은 5,409천 원으로 전년 대비 1.3% 증가

* 노동비용 전년 대비 상승률(%): ('18) 3.4→ ('19) 2.8→ ('20) 1.3

－ ㉠ 노동비용 중 79.2%를 차지하는 직접노동비용(임금총액, 4,284천 원)은 전년 대비 0.8% 증가, 간접노동비용(1,125천 원)은 3.2% 증가

* '20년 직접노동비용 상승률 둔화에는 코로나19 영향으로 상여금 및 성과급 감소, 숙박·음식점업, 예술·스포츠 등의 정액·초과급여 감소 등이 작용한 것으로 보임

* 간접노동비용은 코로나19 확산으로 채용·교육훈련비는 감소하였으나 퇴직연금 연간 적립액, 사회보험료 등 법정 노동비용과 법정 외 복지비용 증가로 3.2% 상승

○ (직접노동비용) 상용근로자 1인당 월평균 4,284천 원으로 전년 대비 약 0.8% 증가

－ ㉡ 정액급여 및 초과급여는 3,630천 원으로 전년보다 110천 원 감소하였으며, 상여금 및 성과급은 654천 원으로 전년보다 10.7% 감소

○ (간접노동비용) 상용근로자 1인당 월평균 1,125천 원으로 전년 대비 3.2%(＋35천 원) 증가

－ (상세) ㉢ 간접노동비용 항목 중 퇴직급여 등의 비용(＋16천 원), 법정 노동비용(＋16천 원), 법정 외 복지비용(＋10천 원)은 증가하였고, 교육훈련 비용(－6천 원), 채용 관련 비용(－1천 원)은 감소

* 간접노동비용 중 교육훈련 비용 및 채용 관련 비용은 코로나19 영향으로 감소

－ (퇴직급여 등의 비용) 상용근로자 1인당 월평균 472천 원으로 전년 대비 3.4%(＋15천 원) 증가

* 퇴직급여 등의 비용: 일시금, 중간정산 지급액, 퇴직연금 연간 적립액, 해고예고 수당 등

└, 퇴직연금 적립액(증가율%): ('17) 168.4조(14.6%)→ ('18) 190.0조(12.8%)→ ('19) 221.2조(16.4%) → ('20) 255.5조(15.5%)

－ (법정 외 복지비용) 상용근로자 1인당 월평균 234천 원으로 전년 대비 4.5%(＋10천 원) 증가하였고, 식사비용(76천 원) 32.6%, 교통통신비용(25천 원) 10.8%, 자녀학비보조비용(19천 원) 8.2% 순으로 비중이 높음

* 전년 대비 증가율은 보험료 지원금(＋13.0%), 교통통신(10.0%), 주거비용(＋6.4%), 건강보건비용(＋6.1%) 순으로 크게 나타남

* ㉣ 2020년 1인당 복지비용 액수가 2019년에 비해 가장 크게 감소한 항목의 2019년 비용 비중은 그해 간접노동비용의 2.1%임

① ㉠, ㉡ ② ㉠, ㉢ ③ ㉡, ㉢
④ ㉡, ㉣ ⑤ ㉢, ㉣

42 다음 [표]와 [그래프]는 지리산과 설악산 국립공원의 활엽수림 군락 단위 착엽 기간을 조사하여 나타낸 자료이다. 이에 대한 설명으로 옳지 않은 것을 고르면?

[표] 지리산 · 설악산 국립공원 개엽/낙엽 시기

구분	세부장소	관측 연도	개엽 시기	낙엽 시기
지리산	천은사골-노고단 (1,000~1,200m)	2018년	5월 14일	10월 25일
		2019년	5월 12일	10월 31일
		2020년	5월 21일	10월 22일
	천은사골-노고단 (700~1,000m)	2018년	5월 13일	11월 16일
		2019년	5월 7일	11월 6일
		2020년	5월 11일	11월 6일
	천은사골-노고단 (400~700m)	2018년	5월 3일	11월 13일
		2019년	5월 3일	11월 6일
		2020년	5월 7일	11월 7일
설악산	미시령-황철봉 (700~1,000m)	2018년	5월 13일	10월 13일
		2019년	5월 21일	10월 15일
		2020년	5월 27일	9월 3일
	미시령-황철봉 (400~700m)	2018년	5월 3일	10월 20일
		2019년	5월 5일	10월 18일
		2020년	5월 7일	10월 4일

[그래프] 지리산 · 설악산 국립공원 군락단위 착엽 기간 (단위: 일)

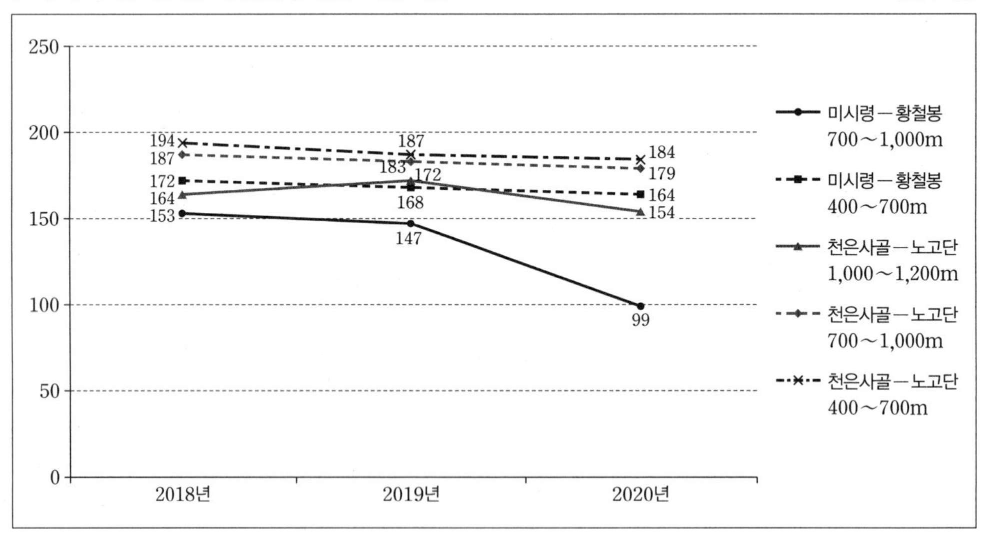

※ 착엽 기간=낙엽 시기-개엽 시기

① 천은사골－노고단 1,000~1,200m 영역의 2020년 착엽 기간은 2019년 172일보다 약 18일 짧아졌다.

② 천은사골－노고단 700~1,000m 영역의 2020년 착엽 기간은 2018년보다 약 8일, 2019년 183일보다 약 4일 짧아졌다.

③ 천은사골－노고단 400~700m 영역의 2020년 착엽 기간은 2018년 194일보다 약 10일, 2019년 187일보다 약 3일 짧아졌다.

④ 미시령－황철봉 700~1,000m 영역의 2020년 착엽 기간은 2019년 147일보다 약 48일 정도 큰 폭으로 짧아졌는데, 개엽 시기가 늦어진 기간보다 낙엽 시기가 빨라진 기간의 폭이 더 크다.

⑤ 미시령－황철봉 400~700m 영역의 2020년 착엽 기간은 2019년 대비 약 4일 짧아진 것으로, 2018년부터 착엽 기간이 짧아진 것으로 확인되며 이는 개엽 시기와 낙엽 시기가 빨라졌기 때문인 것으로 판단된다.

[43~44] 다음 [그래프]는 기사와 기술사 국가기술자격통계에 대한 자료이다. 이를 바탕으로 질문에 답하시오.

[그래프1] 국가기술자격통계–기사 (단위: 명)

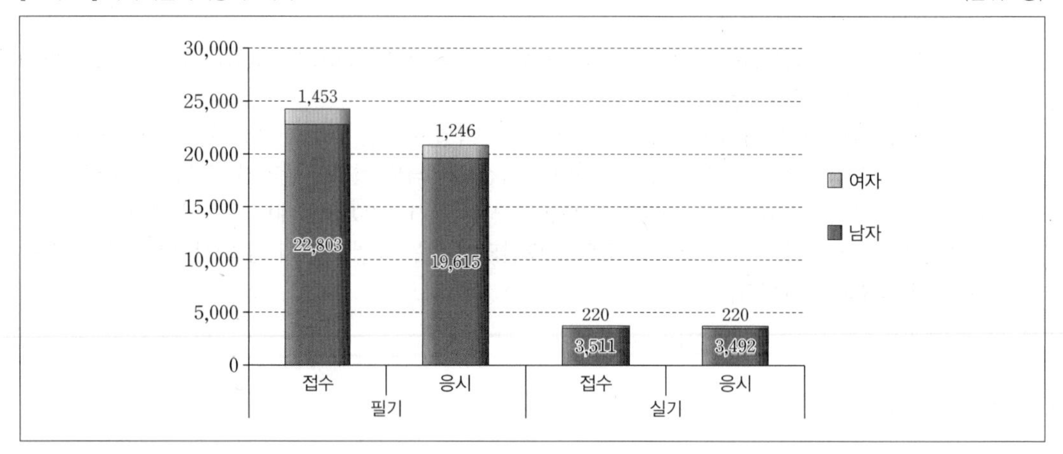

[그래프2] 국가기술자격통계–기술사 (단위: 명)

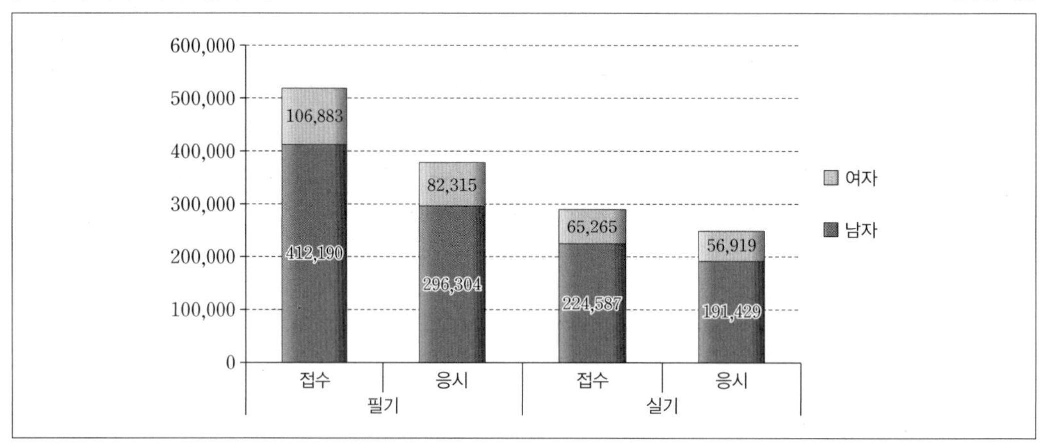

[그래프3] 국가기술자격–기사 및 기술사 합격률 (단위: %)

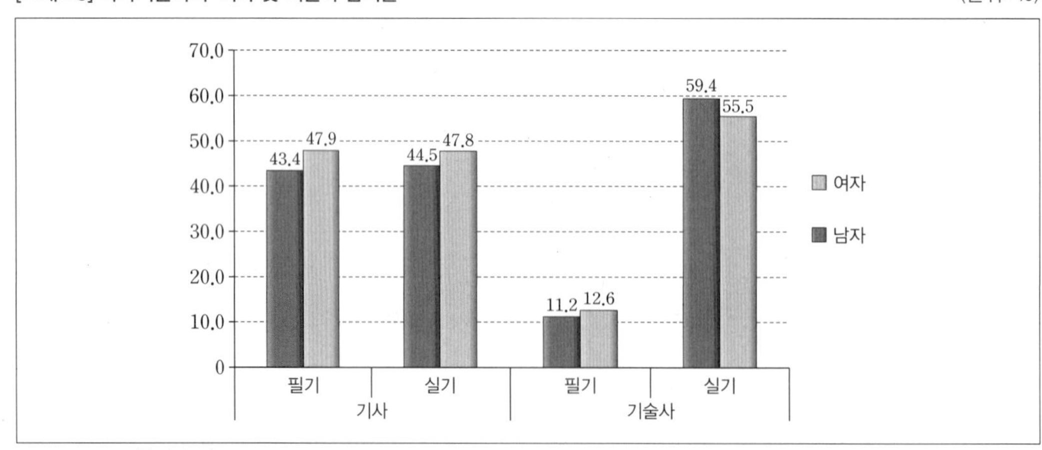

※ 응시율(%)$=\frac{\text{(응시자 수)}}{\text{(접수자 수)}}\times 100$

※ 합격률(%)$=\frac{\text{(합격자 수)}}{\text{(응시자 수)}}\times 100$

43 다음 [보기]의 A, B, C, D의 대소 관계를 바르게 나타낸 것을 고르면?(단, 계산 시 소수점 둘째 자리에서 반올림한다.)

| 보기 |

- A: 기술사 필기 시험 여자 응시율
- B: 기술사 실기 시험 응시율
- C: 기사 필기 시험 남자 응시율
- D: 기사 실기 시험 응시율

① A<B<C<D ② A<B<D<C ③ A<C<B<D
④ B<A<C<D ⑤ B<C<A<D

44 기사 필기 시험 여자 합격자를 a명, 기술사 실기 시험 남자 합격자를 b명이라고 할 때, $b-a$의 값의 범위를 고르면?

① $90,000 \le b-a < 100,000$
② $100,000 \le b-a < 110,000$
③ $110,000 \le b-a < 120,000$
④ $120,000 \le b-a < 130,000$
⑤ $130,000 \le b-a < 140,000$

45 다음 [표]는 2020년 어느 업체의 가축분뇨 처리시설의 물질수지 및 설치비와 운영비에 대한 자료이다. 이 처리시설을 이용하여 얻은 퇴비에 대한 내용으로 옳지 않은 것을 고르면?

[표1] 2020년 가축분뇨 처리시설의 물질수지 (단위: kg, %)

구분		돈분 기준		계분 기준	
		투입	퇴비	투입	퇴비
총량		7,000	1,278	8,000	3,108
중량	고형물	1,750	831	3,200	2,176
	수분	5,250	447	4,800	932
비율	고형물	25.0	65.0	40.0	70.0
	수분	75.0	35.0	60.0	30.0

[표2] 2020년 가축분뇨 처리시설 설치비 (단위: 백만 원)

구분	기계	전기 및 계측	합계	톤당 설치단가
공사금액	158	12	170	24백만 원/톤

[표3] 2020년 가축분뇨 처리시설 운영비 (단위: 백만 원)

구분			산출근거	금액(원/년)
고정비(A)	인건비		197,330원/인(초급기술자)×365일/년	72,025,450
	기타비용		인건비×5%	3,601,273
	소계			75,626,723
변동비(B)	전력비	계약전력	39.45(kW)×1,210(원/kW-월)×12(월/년)	17,651,018
		사용전력	1,144.0(kWh/일)×40.9(원/kWh)×365(일/년)	
	수선유지비		설치비×0.5%	850,000
	부자재 구입(톱밥 등)		51,000원/m²×60m(시운전 초기 투입)	3,060,000
	소계			21,561,018
부가가치세(C)			(A+B)×10%	9,718,774
합계				106,906,515
톤당 운영비			합계÷(7톤/일×365일)	41,842원/톤

※ 인건비는 시중노임단가를 적용하여 실 지급비용과 차이가 있을 수 있음

① 돈분 14,000kg을 이용하여 얻은 퇴비 2,556kg의 고형물은 1,662kg이고, 고형물의 비율은 65%이다.
② 돈분 7,000kg, 계분 16,000kg이면 퇴비 7,494kg을 얻는다.
③ 돈분만을 이용하여 퇴비 12,780kg을 얻는 데 필요한 톤당 설치비는 240백만 원/톤이다.
④ 돈분만을 이용하여 퇴비 6,390kg을 얻는 데 필요한 운영비와 설치비는 톤당 24,041,842원이다.
⑤ 퇴비 5,000kg을 얻는 데 필요한 계분은 12,000kg 이상이다.

46 **다음 [그래프]는 9급 공무원 공채 시험에 관한 출원자 및 최종합격자와 응시자 성적 분포에 관한 자료이다. 이에 대한 설명으로 옳은 것만을 [보기]에서 모두 고르면?**(단, 계산 시 소수점 둘째 자리에서 반올림한다.)

[그래프1] 2021년 9급 공무원 공채 시험 현황 (단위: 명)

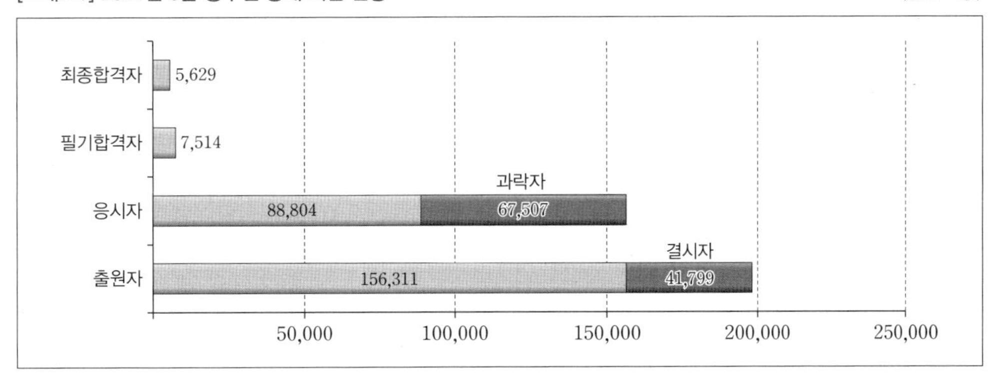

[그래프2] 2021년 9급 공무원 공채 시험 응시자 성적 분포(과락자 성적 제외) (단위: 명)

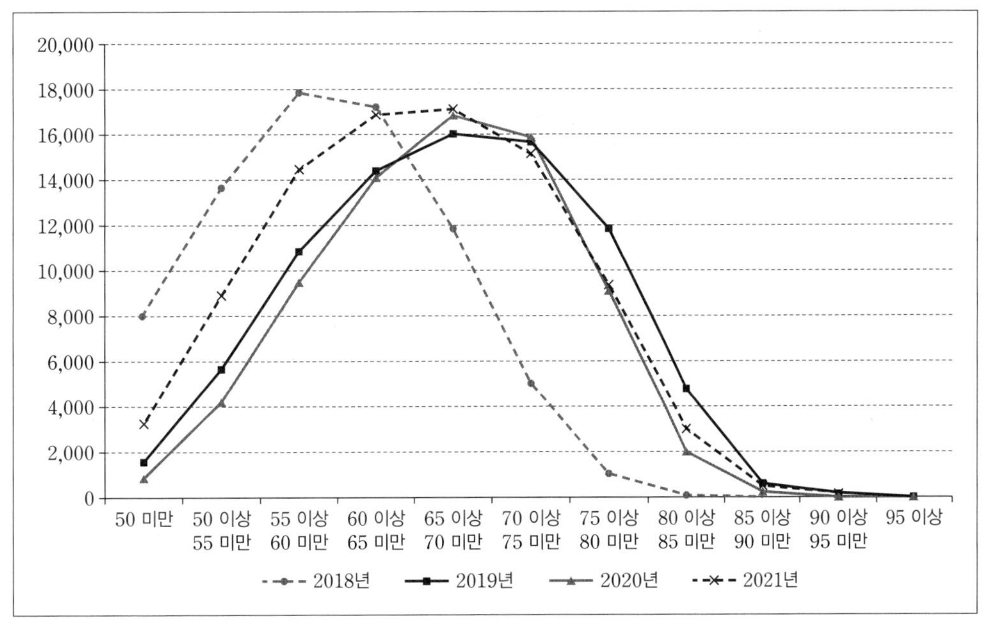

| 보기 |

㉠ 2021년 9급 공무원 공채 시험 출원자는 총 198,110명이고, 응시자는 총 156,311명이다.
㉡ 2021년 9급 공무원 공채 시험 전체 응시자 대비 과락률은 약 43.2%이다.
㉢ 2018년 50점 미만을 받은 과락자를 제외한 응시자 수는 같은 해 70점 이상 80점 미만을 받은 과락자를 제외한 응시자 수보다 적다.
㉣ 2018~2021년 기간 중 과락자를 제외한 55점 이상 60점 미만인 응시자 수가 가장 적은 해의 과락자를 제외한 80점 이상 85점 미만인 응시자 수는 약 2,000명이다.

① ㉠, ㉡ ② ㉢, ㉣ ③ ㉠, ㉡, ㉢
④ ㉠, ㉡, ㉣ ⑤ ㉡, ㉢, ㉣

47 조 대리는 며칠 전 구입한 새 컴퓨터의 성능을 향상시키기 위하여 2GB 메모리카드 2개를 추가 장착하였으나 장착하자마자 갑자기 컴퓨터가 정상 작동하지 않는 에러가 발생하였다. 조 대리는 문제해결을 위해 다음과 같은 자료를 찾아보고 윈도우 재설치가 필요하다는 사실을 알게 되었다. 이때 조 대리가 의심해 볼 수 있는 에러코드 2개가 바르게 짝지어진 것을 고르면?

에러코드	에러 원인	문제해결 방법
0×0000001E	• 특정 부품의 드라이버 파일이 제대로 설치되지 않은 경우 또는 메모리 주소, I/O 주소, IRQ가 충돌하는 경우 • 메모리가 부족한 경우 • 실행이 허용되지 않거나 알 수 없는 CPU 명령이 윈도우에 인식될 경우	• 백신 프로그램이나 멀티미디어 프로그램 등과 같이 시스템 자원을 잠식하는 프로그램 확인 • 메인보드 바이오스(BIOS)의 호환성 문제일 수 있으니 바이오스 업그레이드 • 윈도우 재설치
0×00000050	• 컴퓨터 처리에 필요한 데이터가 메모리에 없을 경우 • 윈도우와 호환되지 않는 프로그램을 설치한 경우 • 문제 있는 메모리카드가 추가되었을 경우	• 잘못 설치(또는 업데이트)된 부품 드라이버가 있는지 확인 • 현재 꽂혀 있는 부품(그래픽 카드 등)의 드라이버 파일 삭제 후 재설치 • 윈도우 재설치
0×0000007B	• 부팅 장치에 접근 불가능하다는 의미로 하드디스크에 문제가 발생한 경우 • 바이러스 감염으로 인해 부팅 영역이 손상된 경우 • 윈도우 자체에 문제가 생겨 부팅 파티션을 인식하지 못하는 경우	• 바이오스 설정 중 부팅 순서가 하드디스크 우선으로 설정되어 있는지 확인 • CD−ROM이나 USB 메모리, 플로피 디스크 등이 꽂혀 있는지 확인 → 새로 추가한 하드디스크가 있다면 제거 후 재시도 • 윈도우 재설치
0×0000007F	• 추가 증설한 메모리카드에 문제가 있는 경우(메모리 타입 등) • 과열로 인해 CPU가 오작동하는 경우 • 과도한 오버클러킹으로 인해 오작동하는 경우	• CPU와 관련된 모든 설정 초기화, CPU 쿨러 및 컴퓨터 케이스 등의 쿨러 정상 작동 확인 • 현재 컴퓨터와 호환되지 않는 특정 프로그램 점검, 삭제 • 윈도우 업데이트 및 재설치
0×0000009F	• 시스템 종료나 대기 모드, 또는 최대 절전모드 등을 사용하다가 발생하는 경우 • 갑작스러운 전력 공급 변동에 의한 경우	• 새로 설치된 프로그램 또는 하드웨어의 상태 확인 후 제거(백신, 원격 제어, 백업 프로그램 등) • 각 하드웨어 드라이버 업데이트 내역 확인 및 패치 • 대기모드, 최대 절전모드 사용 해제 후 점검 • 윈도우 재설치
0×000000D1	• 각 부품 드라이버가 잘못 설치된 경우 • 호환되지 않는 메모리카드를 장착한 경우 • 특정 프로그램(백신 프로그램, 멀티미디어 프로그램 등)이 오류를 일으키거나 시스템과 충돌한 경우	• 윈도우의 드라이버 롤백 기능이나 시스템 복원 기능을 통해 이전 상태로 복구 시도 • 백신, 멀티미디어 프로그램 등을 삭제 후 점검, 메모리의 장착 상태 확인 후 재장착 • 윈도우 재설치
0×000000EA	• 주로 그래픽카드의 드라이버가 잘못 설치된 경우	• 그래픽 카드 드라이버를 제거 후 재설치 또는 최신 버전으로 업데이트 • 윈도우 재설치

0×00000024	• NTFS에서 알 수 있듯이 하드디스크 파티션 내의 오류로 인한 경우 • 하드디스크 내의 알 수 없는 오류로 인한 경우	• 파티션이 깨지거나 오류가 발생한 경우에는 주요 데이터를 백업한 후 포맷 • 윈도우 재설치

① 0×0000001E, 0×000000D1
② 0×000000D1, 0×000000EA
③ 0×0000007F, 0×0000007B
④ 0×00000050, 0×0000007F
⑤ 0×000000D1, 0×00000024

48 다음 설명을 참고할 때, H대리의 팔로워십을 개선하기 위한 해결책으로 가장 적절한 것을 고르면?

> H대리는 다른 팀원들이 모두 바쁜 업무를 처리하는 동안에도 혼자 할 일 없이 빈둥대는 시간이 많다. 동료들이 그에게 왜 혼자만 그렇게 여유 있는 시간이 많은지를 물으면 H대리는 늘 자신에게는 아무도 업무 지시를 하지 않는다고 대답한다. 상사가 원하는 업무방향을 알아야 효과적으로 일처리를 할 텐데 구체적으로 지시하지도 않은 일을 어떻게 스스로 수행하겠느냐는 것이 그의 생각이다. 이런 이유로 H대리는 자신이 맡은 업무는 반드시 상사의 관리하에 이루어지는 것이며, 그에 대한 성과 역시 상사가 확인하여 인정해 주어야만 의미 있는 것이라고 여긴다.

① 다른 구성원들이 배려심을 발휘하여 H대리의 능력과 자질을 칭찬하고 인정해 주는 노력을 한다.
② 리더의 의견을 거스르지 말고 순응해야 하며, 기존 질서를 준수해야 한다는 점을 상기시킨다.
③ 리더와 조직 구성원들 간의 비인간적인 풍토를 개선하기 위해 팀의 조직문화를 우선 개선한다.
④ 적절한 임무와 함께 책임과 권한을 부여하고 스스로의 아이디어를 활용할 기회를 제공한다.
⑤ 모든 업무에 있어 성공적인 결과에 수반되는 보상이 어떤 것인지를 명확히 규정해 둔다.

49 다음은 H공사의 연차휴가에 관한 규정이다. 이에 대한 설명으로 옳은 것을 고르면?

제○○조(연차휴가) ① 1년간 8할 이상 출근한 직원에게 15일의 연차휴가를 준다.
② 계속근로연수가 1년 미만인 직원에게 1월간 개근 시 1일의 연차휴가를 준다.
③ 직원의 최초 1년간의 근로에 대하여 연차휴가를 주는 경우에는 제2항의 규정에 의한 휴가를 이미 사용한 경우에는 그 사용한 휴가일수를 15일에서 공제한다.
④ 3년 이상 계속근무한 직원에 대하여는 제1항의 규정에 의한 휴가에 최초 1년을 초과하는 계속근로연수 매 2년에 대하여 1일을 가산한 휴가를 주어야 한다. 이 경우 가산휴가를 포함한 휴가 일수는 총 25일을 한도로 한다.
⑤ 직원이 업무상의 부상 또는 질병으로 인하여 병가 또는 휴직한 기간과 산전 · 산후의 직원이 휴직한 기간은 연차휴가기간을 정함에 있어서 출근한 것으로 본다.
⑥ 연차휴가는 14시를 전후하여 4시간씩 반일 단위로 허가할 수 있으며, 반일 연차휴가 2회는 연차휴가 1일로 계산한다.
⑦ 직원의 연차 유급휴가를 연 2회(3/1, 9/1) 기준으로 부여한다.

제□□조(연차휴가의 사용촉진) ① 회사가 제○○조 제1항 · 제3항 및 제4항의 규정에 의한 연차휴가의 사용을 촉진하기 위하여 다음과 같이 조치를 하였음에도 불구하고 직원이 1년간 휴가를 사용하지 아니하여 소멸된 경우에는 회사는 그 미사용 휴가에 대하여 연차수당을 지급하지 않는다.
1. 휴가 소멸기간이 끝나기 6개월 전을 기준으로 10일 이내에 직원의 직근 상위자가 직원별로 그 미사용 휴가일수를 알려주고, 직원이 그 사용 시기를 정하여 직근 상위자에게 통보하도록 서면으로 촉구할 것
2. 제1호의 규정에 의한 촉구에도 불구하고 직원이 촉구를 받은 때부터 10일 이내에 미사용 휴가의 전부 또는 일부의 사용 시기를 정하여 직근 상위자에게 통보하지 아니한 경우에는 휴가 소멸기간이 끝나기 2개월 전까지 직근 상위자가 미사용 휴가의 사용 시기를 정하여 직원에게 서면으로 통보할 것

① 입사한 첫 해에 연차휴가를 3일 사용한 직원(8할 이상 출근)에게는 2년 차에 연차휴가를 15일 주게 된다.
② 계속근로연수가 8년인 직원에게는 19일의 연차휴가를 주게 된다.
③ 직근 상위자로부터 잔여 휴가일수에 대한 서면 통보를 받지 못한 경우에는 연차수당을 지급받을 수 없다.
④ 계속근로연수가 3년인 직원이 3년 차에 반일 연차를 6회 사용하였다면 남은 연차휴가 일수는 13일이 된다.
⑤ 계속근로연수가 5년인 직원이 5년 차에 직근 상위자에 의한 서면 통보를 받았음에도 불구하고 질병으로 인한 병가만 3일 사용하였다면, 소멸되는 연차휴가 일수는 14일이다.

50 **다음은 에어컨의 모델명 부여 규칙이다. 이를 바탕으로 [보기]의 ㉠~㉢ 모델명에 대한 설명으로 옳은 것을 고르면?**(단, 1~11까지의 숫자는 각 항목이 기입되는 자리 순서를 의미한다.)

1	2	3, 4	5	6	7
구분	냉매종류	냉방능력	개발순서	품질(등급)	출시
F: 스탠드	W: 인버터/냉난방용	15: 49.58m^2	1: 2016년형	L: 럭셔리(상)	A: 정규
S: 벽걸이	Q: 인버터/냉방전용	16: 52.89m^2	2: 2017년형	P: 프리미엄	B: 파생
	C: 정속/냉방전용	18: 59.50m^2	3: 2018년형	S: 스페셜	
		20: 66.11m^2	4: 2019년형	D, K: 디럭스	
		23: 76.03m^2	5: 2020년형	M: 싱글모던	
			6: 2021년형	G: 싱글(기본)	

8	9	10	11	12
패턴	색상	냉방범위	에너지 소비등급	옵션
A: 없음	W: 화이트	2: 3 in 1	A: 1등급	1: 제균 청정 일반형
J: 쥬얼리	B: 브라운	1: 2 in 1	B: 2등급	2: 제습 청정 고급형
N: 노블	P: 파스텔	0: 1 in 1	C: 3등급	
W: 웨이브			D: 4등급	
C: 아이스콜드			E: 5등급	

보기

㉠ FW166KBWW1B
㉡ FQ165KAWW1B
㉢ FC186GAWB2B1

① 옵션을 장착한 모델은 2개이다.
② 스탠드형 모델이 2개, 벽걸이형 모델이 1개이다.
③ 냉방전용 모델 2개의 색상은 동일하다.
④ 세 모델 모두 냉방능력이 60m^2 이하이며, 2020년 이후에 개발되었다.
⑤ 세 모델 중 두 개의 모델만 웨이브 패턴이다.

정답 및 해설

정답 및 해설

NCS 영역별 문항_의사소통능력 P. 34

01	①	02	②	03	②	04	④
05	①	06	②	07	②	08	③

01 내용 일치 정답 | ①

해설 3문단에 따르면 빅블러 현상은 크게 '기술융합'과 '산업융합'으로 구분되는데, 기술, 제품 또는 서비스의 융합을 통해 새로운 시장을 창출하였는지, 또는 기존 시장을 강화하였는지를 기준으로 다시 각각 '가치창출형'과 '가치제고형'으로 구분할 수 있음을 추론할 수 있다.

| 오답풀이 |

② 2문단에서 스마트화는 ICT와 제조업의 융합을 통해서도 이루어질 수 있다고 하였다.
③ 3문단에서 기술혁신으로 기존 한계를 뛰어넘는 유형은 기술융합–가치창출형 빅블러라고 하였다.
④ 1문단에서 빅블러 현상의 핵심인 업의 확장을 위해서는 상이한 업종 기업 간의 연합이 필수적이라고 하였다.
⑤ 2문단에서 친환경화는 글로벌 환경 규제와 더불어 주력 산업들의 지속가능성을 위해 논의가 부상하고 있는 지향점으로 특정 산업만의 연구 주제가 아니라고 하였다.

02 빈칸 추론 정답 | ②

해설 주어진 글은 우리나라의 인구 고령화에 따라 발생하는 문제의 해결 방향에 대해 서술한 글이다. 글의 필자는 우리나라의 인구 고령화가 급속하게 진행되면서 현재의 방식만으로는 이를 모두 흡수하는 것은 불가능하며, 고령인구의 노동시장 이탈을 늦추어 스스로 얻은 근로소득으로 자신들의 생활을 영위할 수 있도록 해야 한다고 주장하였다. 또한 이때 근로소득을 확보하기 위해서는 고령인력이라고 하더라도 노동시장에서 그에 해당하는 만큼의 가치를 기업에 창출할 수 있도록 해야 한다고 하였다. 즉 필자는 고령화 문제를 노동시장 안에서 해결하기 위해서는 고령인구 근로자의 '근로소득'과 '생산성'이 '일치'하도록 해야 함을 강조하고 있다. 따라서 빈칸 ㉠~㉢에 들어갈 말은 차례로 '근로소득, 생산성, 일치'이다.

03 문단 배열 정답 | ②

해설 먼저 연극 「가스등」에서 '가스라이팅'이라는 용어가 처음 유래되었다는 내용의 [다]가 와야 한다. [다] 뒤에는 가스라이팅이 이루어지는 과정에 대한 내용이 연결되어야 하는데, 가해자가 피해자 스스로를 의심하게 만들고, 피해자의 요구를 경시하거나 실제로 발생한 일을 망각하는 행위를 한다는 내용의 [나]와 이러한 행위가 계속되면 피해자가 가해자의 생각에 동조하게 된다는 내용의 [가]가 차례로 이어지는 것이 자연스럽다. 마지막으로 피해자 스스로가 가스라이팅을 당하고 있다는 사실을 인지하고 주변에 도움을 구해야 한다는 대처법에 대해 언급하고 있는 [라]가 와야 한다. 따라서 '유래 – 과정 – 대처법'의 순서에 맞게 배열하면 '[다] – [나] – [가] – [라]'이다.

04 내용 일치 정답 | ④

해설 4문단에 따르면 승마에서는 말의 보행속도가 빨라질수록 말을 탄 사람의 운동 강도도 함께 증가하는 경향을 보이며, 평보는 대걸레 청소, 요트타기, 시속 5km로 달리기 등과 비슷한 정도의 중강도, 속보와 구보는 테니스 단식게임, 축구, 농구시합, 시속 7~9km로 달리기 등과 비슷한 고강도의 운동에 해당한다고 하였다. 따라서 말이 평보를 할 때보다 구보를 할 때 말을 탄 사람의 운동 강도가 높다.

| 오답풀이 |

① 3문단에서 속보는 분당 220m를 움직이는 빠른 걸음걸이로 대각선상의 두 다리가 동시에 움직여 2박자로 진행되는 보법이라고 하였으므로 속보 시 말의 오른쪽 앞다리와 왼쪽 뒷다리가 동시에 움직임을 알 수 있다.
② 2문단에서 승마 시 고삐를 잡는 손은 엄지손가락이 위를 향하도록 주먹을 쥐어 고삐를 잡고, 위팔은 약간 굽히고 팔꿈치관절, 아래팔, 주먹을 쥔 손, 고삐가 수평이 되도록 하여 말이 움직이는 동안에도 그 자세를 유지해야 한다고 하였다.
③ 5문단에서 승마는 전신 근육이 사용되면서 에너지 소비량이 많아 조깅이나 수영보다 2배 이상 칼로리를 소비한다고 하였다.
⑤ 1문단에서 올림픽에서 '종합마술'은 말을 다루는 기술을 심사하는 '마장마술'과 장애물을 뛰어넘는 실력을 심사하는 '장애물비월' 두 가지를 함께 펼치는 종목이라고 하였다.

05 빈칸 추론

정답 | ①

해설 주어진 글은 구독경제의 특징과 유행 배경, 장점 등에 대해 전반적으로 서술하고 있다. 빈칸이 포함된 문단에서는 구독 서비스의 세 가지 유형을 제시하며, 음원, 영상, 전자책, 생활필수품에서부터 자동차나 생활 가전 등의 고가의 제품까지 구독료를 내고 이용할 수 있음을 언급하며 과거에 제품이나 서비스를 소장하던 방식에서 빌려 사용하는 방식으로 변화하였음을 설명하였다. 따라서 빈칸에는 소유하는 방식에서 경험하는 방식으로 소비 철학이 변화하였다는 내용이 이어지는 것이 가장 적절하다.

06 어휘

정답 | ②

해설 어찌할 바를 모르고 당황하였다는 의미에 가장 가까운 한자 성어는 ②이다.

- 망지소조(罔知所措): 너무 당황하거나 급하여 어찌할 줄을 모르고 갈팡질팡함.

| 오답풀이 |

① 동분서주(東奔西走): 동쪽으로 뛰고 서쪽으로 뛴다는 뜻으로, 사방으로 이리저리 몹시 바쁘게 돌아다님을 이르는 말.

③ 은인자중(隱忍自重): 마음속에 감추어 참고 견디면서 몸가짐을 신중하게 행동함.

④ 백난지중(百難之中): 온갖 괴로움과 어려움을 겪는 가운데.

⑤ 초미지급(焦眉之急): 눈썹에 불이 붙었다는 뜻으로, 매우 급함을 이르는 말.

07 문단 배열

정답 | ②

해설 주어진 글은 생물의 일주기 리듬에 대해 전반적으로 서술하고 있다. 글의 처음에는 1792년에 미모사를 이용한 대상으로 한 실험 결과를 제시하며 일주기 리듬의 개념에 대해 서술하고 있는 [나]가 와야 한다. [나] 뒤에는 식물에서 나아가 동물인 초파리와 포유류로 일주기 리듬에 관한 연구가 확대되었음을 설명하고 있는 [가]가 이어져야 한다. 또한 [가] 뒤에는 인간의 몸 역시 일주기 리듬을 가지며 이러한 리듬이 형성된 이유에 대해 언급하고 있는 [마]가 와야 한다. [마]의 마지막에서 인간은 잠을 잘 때 더 많은 양의 멜라토닌 등의 항산화물질을 만들어 낸다고 하였으므로, 극지방의 백야, 교대근무자 잦은 직업군 등 수면이 일정하지 않을 경우 건강에 악영향을 미칠 수 있다는 내용의 [다]가 [마] 뒤에 이어지는 것이 자연스럽다. 마지막으로 [다] 뒤에는 일주기 리듬이 질환과 질병에 영향을 미칠 수 있어 치료에 활용된다는 내용의 [라]가 와야 한다. 따라서 주어진 [가]~[마]를 문맥의 흐름에 맞게 배열하면 '[나] – [가] – [마] – [다] – [라]'이다.

08 내용 일치

정답 | ③

해설 [나]에서 미모사의 실험을 통해 식물은 태양의 존재와 관계없이 24시간의 주기로 생리활성을 조절하는 사실을 발견하였다고 하였으므로 식물이 태양의 유무에 따라 생리활성 조절 주기를 변경한다는 내용은 옳지 않다.

| 오답풀이 |

① [가]에서 1990년대 후반에는 포유류의 일주기 리듬에 관여하는 유전자가 발견되어 이들이 구성하는 분자네트워크에 의해 일주기 리듬이 조절된다는 사실이 밝혀졌다고 하였다.

② [마]에서 인간은 잠을 자는 동안 더 많은 양의 항산화물질을 만들어 낸다고 하였으며, 그중 하나로 수면 유지 호르몬인 멜라토닌을 언급하였다.

④ [라]에서 혈압의 변동이 큰 오전은 수면하는 동안 저하된 혈압과 체온이 상승하는 시간으로, 이 시기에 다른 시간대에 비해 심장마비가 빈번히 발생한다고 하였다.

⑤ [다]에서 국제암연구소(IARC)의 연구에 따르면 교대근무가 잦아 수면시간이 불규칙한 직업군에서 그렇지 않은 직업군에 비해 암에 걸릴 위험도가 1.48배로 더 높다고 하였다.

NCS 영역별 문항_수리능력

P. 42

01	①	02	②	03	③	04	⑤
05	⑤	06	④	07	②		

01 응용수리

정답 | ①

해설 A, B 두 사람이 하루 동안 할 수 있는 일의 양을 각각 x, y라고 하여 연립방정식으로 나타내면 다음과 같다.

$$\begin{cases} 3(x+y)+2x=1 \\ 2(x+y)+4y=1 \end{cases}, \text{즉} \begin{cases} 5x+3y=1 & \cdots ㉠ \\ 2x+6y=1 & \cdots ㉡ \end{cases}$$

㉠×2−㉡을 하면 $8x=1$

$\therefore x=\frac{1}{8}$

$x=\frac{1}{8}$을 ㉡에 대입하면 $\frac{1}{4}+6y=1$, $6y=\frac{3}{4}$

$\therefore y=\frac{1}{8}$

따라서 상품 1개를 만드는 데 A 혼자서 일하면 8일이 걸리고, B 혼자서 일하면 8일이 걸리므로 $a=8$, $b=8$이다.

$\therefore a+b=16$

| 다른풀이 |

첫 번째 조건에 따라 A가 5일 일하고, B가 3일 일하면 상품 1개를 만들 수 있다. 즉 A가 10일 일하고, B가 6일 일하면 상품 2개를 만들 수 있다. … ㉠

두 번째 조건에 따라 A가 2일 일하고, B가 6일 일하면 상품 1개를 만들 수 있다. … ㉡

따라서 ㉠, ㉡에 의해 A가 혼자서 8일 일하면 상품 1개를 만들 수 있다.

$\therefore a=8$

㉡에 따라 A가 8일 일하고 B가 24일 일하면 상품 4개를 만들 수 있다. 이때 A가 8일 동안 혼자서 상품 1개를 만들 수 있으므로 24일 동안 B 혼자서 일하면 상품 3개를 만들 수 있다. 즉, B가 혼자서 8일 일하면 상품 1개를 만들 수 있다.

$\therefore b=8$

$\therefore a+b=16$

02 응용수리

정답 | ②

해설 승용차 2대가 서로 구분되므로 각각을 승용차 ㉠, 승용차 ㉡이라고 하자.

i) 전략팀 4명이 승용차 한 대에 탑승하는 경우

승용차 ㉠에 전략팀 직원 4명이 탑승하는 방법의 수는 $4\times3\times2\times1=24$(가지)

승용차 ㉡에 홍보팀 직원 3명이 탑승하는 방법의 수는 $4\times3\times2=24$(가지)

이때 전략팀이 승용차 ㉡, 홍보팀이 승용차 ㉠으로 바꿔 타는 방법의 수는 2(가지)이다.

$\therefore 24\times24\times2=1{,}152$(가지)

ii) 전략팀 4명이 2명씩 서로 다른 승용차에 탑승하는 경우

승용차 ㉠에 전략팀 김 대리와 전략팀 직원 한 명이 앉고 나머지 자리에 홍보팀 직원 2명이 탑승하는 방법의 수는 $4\times3\times3\times2=72$(가지),

승용차 ㉡에 전략팀 2명과 홍보팀 1명이 탑승하는 방법의 수는 $4\times2=8$(가지),

이때 승용차 ㉠와 승용차 ㉡을 서로 바꿔 타는 방법의 수는 2(가지)이다.

$\therefore 72\times8\times2\times1=1{,}152$(가지)

따라서 두 승용차에 탑승하는 방법의 수는 $1{,}152+1{,}152=2{,}304$(가지)이다.

03 응용수리

정답 | ③

해설 먼저 숫자로 4자리 비밀번호를 만드는 방법의 수는 다음과 같다.

i) 5를 사용하지 않거나 한 번만 사용할 경우

2, 3, 4, 5, 6, 7, 8 중에서 4개를 선택하여 일렬로 나열하는 방법의 수는 ${}_7C_4=7\times6\times5\times4=840$(가지)이다.

ii) 5를 2개 사용할 경우

5끼리 연달아 나온다고 하였으므로 '55○○', '○55○', '○○55'의 3가지 경우가 가능하고, 2, 3, 4, 6, 7, 8 중에서 2개를 선택하여 일렬로 나열하는 방법의 수는 ${}_6C_2=6\times5=30$(가지)이므로 총 $3\times30=90$(가지)이다.

다음으로 알파벳으로 4자리 비밀번호를 만드는 방법의 수는 다음과 같다.

l을 양끝에 사용해야 하고, l과 l 사이에 모음 e, u, a 3개 중에서 2개가 들어가야 한다. 2자리에 모음 e, u, a 중 2개를 선택하여 일렬로 나열하는 방법의 수는 ${}_3C_2=3\times2=6$(가지)이다.

비밀번호는 숫자 4자리와 알파벳 4자리가 결합한 8자리이다. 따라서 신 계장이 만들 수 있는 비밀번호의 개수는 $(840+90)\times6=5{,}580$(개)이다.

04 자료계산

정답 | ⑤

해설 A 업체는 2,000개 이상 구매 시 탁송비와 주유비가 무료이므로 $4{,}000\times2{,}000=8{,}000{,}000$(원)이다.

B 업체는 1,000개 이상 구매 시 100개를 무료로 제공하므로 필요한 2,000개 중에서 1,900개만 구매하면 된다. 이때 탁송비는 무료이고 주유비는 별도이므로 $(4{,}200\times1{,}900)+(1{,}200\times200)=8{,}220{,}000$(원)이다.

C는 200만 원을 초과하는 상품 금액에 대하여 5% 할인해 주므로 $2{,}000{,}000+\{(4{,}000\times2{,}000)-$

2,000,000} × 0.95 + 180,000 = 7,880,000(원)이다.
D는 500개마다 탁송비를 포함한 총금액의 1%씩 추가 할인해 준다. 즉 2,000개를 구매하면 4%를 할인해 주므로 {(4,000 × 2,000) + 100,000 + (1,000 × 300)} × 0.96 = 8,064,000(원)이다.
따라서 최종 금액에서 가장 큰 금액과 가장 작은 금액의 차는 8,220,000 − 7,880,000 = 340,000(원)이다.

05 자료계산 정답 | ⑤

해설 '21. 1/4분기 구인인원은 581 + (69 + 129 + 21 + 20 + 30 − 16 − 9 − 32 + 27) = 820(천 명), 채용인원은 493 + (64 + 132 + 37 + 3 + 28 − 13 + 4 − 14 + 2) = 736(천 명)이므로 '21. 1/4분기 미충원인원은 820 − 736 = 84(천 명)이다.

따라서 '21. 1/4분기 미충원인원율은 $\frac{84}{820} \times 100 \fallingdotseq$ 10.2(%)이다.

06 자료이해 정답 | ④

해설 건축착공현황에서 교육 및 사회용 건축물의 동 수당 평균 연면적의 경우 2018. 03.의 연면적은 동 수의 1,000배보다 크고, 2019. 03.의 연면적은 동 수의 약 1,000배이므로 동 수당 평균 연면적이 2018. 03.이 2019. 03.보다 크다. 즉 2018. 03.이 $\frac{571,819}{484} \fallingdotseq 1,181(m^2)$, 2019. 03.이 $\frac{481,340}{481} \fallingdotseq 1,001(m^2)$이므로 2019. 03.의 동 수당 평균 연면적은 전년 대비 작다.

| 오답풀이 |

① 건축허가가 내려진 건축물에서 2018. 03. 대비 2021. 03.의 동 수는 $\frac{22,058-24,023}{24,023} \times 100 \fallingdotseq \frac{22-24}{24} \times 100 \fallingdotseq -8(\%)$으로 약 8% 감소했지만, 연면적은 $\frac{15,173,135-14,284,527}{14,284,527} \times 100 \fallingdotseq \frac{15,200-14,300}{14,300} \times 100 \fallingdotseq 6(\%)$으로 약 6% 증가하였기 때문에 옳다.

② 건축허가가 내려진 건축물에서 2018~2021년의 03월 동 수의 80%를 구하여 철근 및 철골조 구조의 동 수와 비교하면 다음과 같다.
- 2018. 03.: 24,023×0.8≒19,218 < 21,666
- 2019. 03.: 20,725×0.8 = 16,580 < 18,613
- 2020. 03.: 20,306×0.8≒16,245 < 18,177
- 2021. 03.: 22,058×0.8≒17,646 < 19,570

따라서 조사 기간 동안 매년 건축허가가 내려진 건축물 중 철근 및 철골조 구조의 건축물이 전체의 80% 이상이기 때문에 옳다.

③ 건축착공현황에서 2021. 03. 건축물의 동 수당 평균 연면적은 $\frac{13,154,816}{19,076} \fallingdotseq 690(m^2/동)$이기 때문에 옳다.

⑤ 건축허가 건축물의 동 수가 건축착공 건축물의 동 수보다 작아야 비율이 100%가 넘는다. 주거용, 상업용, 공업용, 교육 및 사회용 건축물 중에서 이를 만족하는 것은 2018. 03.의 주거용뿐이기 때문에 옳다.

07 자료계산 정답 | ②

해설 2021. 08. 건축허가 건축물의 동 수가 2021. 03. 대비 10% 증가했다고 하였으므로 2021. 08. 건축허가 건축물의 동 수는 22,058 × 1.1 ≒ 24,264(동)이고, 2021. 08. 건축허가 건축물의 연면적은 2020. 03. 대비 20% 증가했다고 하였으므로 2021. 08. 건축허가 건축물의 연면적은 12,050,921 × 1.2 ≒ $14,461,105(m^2)$이다. 따라서 2021. 08. 건축허가 건축물의 동 수당 평균 연면적은 $\frac{14,461,105}{24,264} \fallingdotseq 596(m^2/동)$이다.

NCS 영역별 문항_문제해결능력 P. 49

01	①	02	⑤	03	④	04	④
05	③	06	②	07	②	08	⑤

01 조건추리 정답 | ①

해설 A 회사의 추석 상여금 지급 대상 중 남사원의 수를 X, 여사원의 수를 Y라고 하면, X + Y = 130이다. 추석 2주 전에 상여금을 지급받는 사람의 수를 N이라고 한다면, N + (N + 2) = 2N + 2 = 130으로 2N = 128 → N = 64(명)이 된다. 그러므로 1차에 투표한 인원의 수는 64명, 2차에 투표한 인원의 수는 66명이다.
남사원의 40%, 여사원의 70%가 1차에 투표하였으므로, 0.4X + 0.7Y = 64이다. X + Y = 130과 함께 이를 정리하면 다음과 같다.
X + Y = 130 → X = 130 − Y
0.4(130 − Y) + 0.7Y = 52 − 0.4Y + 0.7Y

$=52+0.3Y=64 \rightarrow 0.3Y=12 \rightarrow Y=40$
그러므로 여사원의 수는 40명이고, 남사원의 수는 130－40＝90(명)이다.

| 오답풀이 |

② 1차에 투표한 남사원의 수는 $90 \times 0.4=36$(명)이다.
③ 2차에 투표한 여사원의 수는 $40 \times 0.3=12$(명)이다.
④ 1차에 투표한 사원의 수는 64명, 2차에 투표한 사원의 수는 66명이다.
⑤ 남사원의 40%, 여사원의 75%가 1차에 투표한다면 $(90 \times 0.4)+(40 \times 0.75)=36+30=66$(명)으로, 2차에 투표한 $130-66=64$(명)보다 2명이 더 많아진다.

02 조건추리 정답 | ⑤

해설 A는 가장 높은 층에서 일하고, B보다 높은 층에서 일하는 사람과 낮은 층에서 일하는 사람의 수는 같다. 그러므로 A는 5층, B는 3층에서 근무한다. 남은 사람은 C, D, E인데, C는 D보다 높은 층에서 일하지만 E보다 낮은 층에서 일한다. 그러므로 D는 1층, C는 2층, E는 4층에서 일한다.

1층	2층	3층	4층	5층
D	C	B	E	A

가장 낮은 층에 재무부가 있다고 하였다. 그러므로 1층에는 재무부가 있다. 또한 기획부는 짝수층에 위치하고 있고, 영업부는 홀수층에 위치하고 있다고 하였다. A는 영업부가 아니라고 하였으므로 영업부는 5층이 아니다. 1층에는 재무부가 있으므로 영업부가 홀수층이려면 3층이어야 한다. 또한 기획부는 짝수층에 위치하고 있으므로 2층이나 4층이어야 하는데, 마케팅부는 기획부보다 낮은 층에 있다. 만약 기획부가 2층에 있다면, 마케팅부는 1층이어야 하는데 1층에는 재무부가 있으므로 이는 모순이다. 그러므로 기획부는 4층이고 마케팅부는 2층이다. 마지막으로 남은 홍보부는 5층이 된다.

1층	2층	3층	4층	5층
D	C	B	E	A
재무부	마케팅부	영업부	기획부	홍보부

따라서 E의 소속부서는 기획부이므로 ⑤가 정답이다.

03 조건추리 정답 | ④

해설 완구류는 3층에서 구매하였고 운동용품은 짝수층에서 구매하였다. 또한, 티셔츠는 냉동만두보다 높은 층에서 구매하였고 소설책보다 낮은 층에서 구매하였다. 이때의 경우의 수는 다음과 같다.

1층	2층	3층	4층	5층
식품류	의류	완구류	운동용품	도서류
식품류	운동용품	완구류	의류	도서류

소설책을 구매할 수 있는 층은 두 경우 모두 5층이다. 5층에서 장난감 기차를 구매할 수 있는 층이 티셔츠를 구매할 수 있는 층보다 가깝다고 하였다. 그러므로 완구류가 3층, 의류가 4층일 경우 모순이다. 즉 완구류는 3층, 의류는 2층에서 판매한다. 이를 이용하여 쇼핑만족도 점수를 계산하면 다음과 같다.

구분	1층	2층	3층	4층	5층
구매 품목	식품류	의류	완구류	운동용품	도서류
	냉동만두	티셔츠	장난감 기차	탁구채	소설책
쇼핑 만족도	9	8	10	7	6
가중치	0.1	0.3	0.2	0.15	0.25
쇼핑 만족도 점수	0.90	2.40	2.00	1.05	1.50

따라서 쇼핑만족도 점수의 총합은 $0.90+2.40+2.00+1.05+1.50=7.85$(점)이다.

04 문제처리능력 정답 | ④

해설 연기가 이동하는 속도는 수평방향으로 1초에 약 1~2m 정도로 보통 사람이 걷는 속도와 같고, 수직방향으로 상승하는 속도는 1초에 약 3~5m 정도이다. 그러므로 화재 시 막혀 있는 장소의 높은 곳은 극히 위험하다. 아래층으로 대피가 불가능한 경우에 옥상으로 대피해야 하므로 가능한 한 낮은 층으로 대피해야 한다는 설명은 옳다.

| 오답풀이 |

① 커튼 등으로 줄을 만들어 아래층으로 내려가야 하며, 창밖으로 뛰어내려서는 안 된다.
② 화재 발견 시에는 큰 소리로 "불이야"를 외쳐야 하지만 피난유도 시에는 큰 소리를 치지 않고 침착하게 안내해야 한다.

③ 문밖에 연기나 불이 있을 수 있으므로 문에 손을 대어 온도를 확인한 후 문을 열어야 한다.
⑤ 바깥으로 대피하여 구조를 기다리는 경우 바람을 등지고 있어야 한다. 바람의 방향에 따라 불길을 마주볼 수도 있고, 등질 수도 있다.

05 문제처리능력 정답 | ③

해설 소화약제는 연기나 화염이 아닌 화원을 향해 방사해야 한다.

| 오답풀이 |

① 화재 발생 시 최초 발견자는 가장 먼저 화재 사실을 알려야 한다.
② 전기로 인한 화재이므로 청색바탕의 원에 C 전기화재용이라고 써 있는 소화기를 사용한다.
④ 연기 속을 통과하여 대피할 때에는 수건 등을 물에 적셔서 입과 코를 막고 숨을 짧게 쉬며 낮은 자세로 엎드려 신속하게 대피하여야 한다.
⑤ 엘리베이터는 고장 나거나 굴뚝 역할을 할 수 있으므로 계단으로 대피해야 하고, 화재 시 막혀 있는 장소의 높은 곳은 극히 위험하므로 옥상보다는 아래층으로 대피해야 한다.

06 문제처리능력 정답 | ②

해설 직접충격 소음 및 공기전달 소음의 1분/5분 등가소음도가 주간과 야간 모두 기준을 초과하였다. 직접충격 소음의 최고소음도는 21:30에 50dB로 주간과 야간 모두 기준을 초과하지 않았다. 따라서 (2)의 "최고소음도 혹은 등가소음도가 주간과 야간에 모두 수인한도를 초과한 경우에는 30% 이내에서 가산"에 해당한다. 피해기간은 9개월이므로 피해자 1인당 기준금액은 650,000원이다. 갑의 어머니는 환자, 딸은 수험생이므로 20% 가산하여 50%이다. 따라서 갑, 아내, 아들의 배상금액의 합은 $3\times650{,}000\times1.3=2{,}535{,}000$(원)이고, 어머니, 딸의 배상금액의 합은 $2\times650{,}000\times1.5=1{,}950{,}000$(원)이다. 따라서 배상금액은 총 $2{,}535{,}000+1{,}950{,}000=4{,}485{,}000$(원)이다.

07 조건추리 정답 | ②

해설 C시에 살고 있는 A는 혼자 B시에 여행을 갔으므로 2인 이상 방문 시 할인받을 수 있는 칼국수와, B시 거주자를 대상으로 하는 마카롱 세트는 할인을 받을 수 없다. 이에 따라 아침, 점심, 저녁 음식의 메뉴별 가격을 정리하면 다음과 같다.

(단위: 원)

구분	정가	아침	점심	저녁
비빔밥	9,000	9,000	7,650	9,000
텐동	10,000	10,000	10,000	7,000
삼계탕	11,000	8,800	8,800	8,800
칼국수	8,000	8,000	8,000	8,000
돈가스	7,000	7,000	7,000	7,000

그러므로 매 끼니에서 가장 저렴한 메뉴로 식사를 하려면 아침에는 돈가스, 점심에는 돈가스를 제외했을 때 가장 저렴한 비빔밥, 저녁에는 돈가스와 비빔밥을 제외했을 때 가장 저렴한 텐동을 먹어야 한다. 이때의 가격은 $7{,}000+7{,}650+7{,}000=21{,}650$(원)이다.
다음으로 아침, 점심, 저녁 후식의 메뉴별 가격을 정리하면 다음과 같다.

(단위: 원)

구분	정가	아침	점심	저녁
떡 세트	7,000	4,900	7,000	4,900
과일빙수	8,000	8,000	6,400	8,000
마카롱 세트	6,000	6,000	6,000	6,000
팥죽	5,000	4,250	4,250	4,250
치즈 케이크	4,000	4,000	4,000	4,000

그러므로 가장 저렴한 메뉴로 후식을 먹으려면 아침에는 치즈 케이크, 점심에는 치즈 케이크를 제외했을 때 가장 저렴한 팥죽, 저녁에는 치즈 케이크와 팥죽을 제외했을 때 가장 저렴한 떡 세트를 먹어야 한다. 이때의 가격은 $4{,}000+4{,}250+4{,}900=13{,}150$(원)이다.
따라서 A가 음식과 후식을 구매하기 위해 결제한 금액은 $21{,}650+13{,}150=34{,}800$(원)이다.

08 조건추리 정답 | ⑤

해설 교배결과를 보면 빨간 장미의 유전형은 RR, 노란 장미의 유전형은 YY, 흰 장미의 유전형은 WW, 분홍 장미의 유전형은 RW, 연노란 장미의 유전형은 YW, 주황 장미의 유전형은 RY로 나타낼 수 있다.

㉠ 모든 유전형을 만들어 내려면 RR, YY, WW가 적어도 한 번씩 교배에 참여해야 한다. 첫 번째 교배에서 RR과 YY가 교배하면 RY를 만들 수 있다. 두 번째 교배에서 RY와 WW를 교배하면 RW, YW를 만들 수 있다. 세 번째 교배에서 RR, YY, WW를 만들어 내야 하는데 이것이 가능한 조합은 없다. 마찬가지로 첫 번째 교배에 RR, WW가 교배하거나 YY, WW가 교배하더라도 세 번째 교배에 모든 유전형을 만들어 낼 수 없다.

㉡ WW가 RR 또는 YY가 교배하면 RW 또는 YW만 만들어 낼 수 있고, RR과 YY가 교배하면 RY만 만들 수 있다.

㉢ 첫 번째 교배에 RR과 WW가 교배하여 RW를 만들고, RW가 WW와 교배하면 WW를 만들 수 있다.

NCS 영역별 문항_그 외 영역 P. 58

01	②	02	③	03	④	04	③
05	②	06	④	07	③		

01 자원관리능력 정답 | ②

해설 우선 연결하는 비용이 가장 적게 들어가는 부서를 구한다.

기획부는 홍보부와 연결되어 있을 때 가장 저렴하다. 영업부는 기획부와 연결되어 있을 때 가장 저렴하다. 재무부는 개발부와 연결되어 있을 때 가장 저렴하다. 홍보부는 기획부와 연결되어 있을 때 가장 저렴하다. 개발부는 재무부와 연결되어 있을 때 가장 저렴하다.

즉 영업부와 기획부, 기획부와 홍보부가 연결되어 있어야 하고, 개발부는 재무부와 연결되어 있어야 한다. 개발부, 재무부가 다른 부서와 연결되는 비용은 개발부가 홍보부와 연결될 때 가장 저렴하다.

따라서 가장 비용이 적게 드는 전산망을 구해 보면 영업부 – 기획부 – 홍보부 – 개발부 – 재무부이고, 이때 비용은 200+100+200+100=600(만 원)이다.

02 자원관리능력 정답 | ③

해설 기획부와 재무부를 우선 연결해 본다. 홍보부의 경우 기획부와 연결되는 것이 가장 저렴하고, 개발부의 경우 재무부와 연결되는 것이 가장 저렴하다. 영업부 또한 기획부와 연결되는 것이 가장 저렴하다. 따라서 가장 비용이 적게 드는 전산망은

홍보부 – 기획부 – 재무부 – 개발부
　　　　　|
　　　　영업부

이고, 이때 비용은 100+200+300+100=700(만 원)이다.

03 자원관리능력 정답 | ④

해설 공정 개선 전 10개의 P제품을 제작하는 데 걸리는 시간은 10+16+14+25+8+12+8+16+14+10+5+2=140(분)이고, 공정 개선 후 10개의 P제품을 제작하는 데 걸리는 시간은 8+12+12+20+8+10+6+16+12+10+4+2=120(분)이다. 따라서 P제품 10개를 제작하는 데 20분이 단축된다. P제품은 10개 단위로만 제작할 수 있으므로 168개 제작하려면 170개를 제작해야 한다. 따라서 20×17=340(분)이므로 5시간 40분이 단축된다.

04 자원관리능력 정답 | ③

해설 각 직원들의 고향 방문 일정을 표시하면 다음과 같다.

이름	직급	운전면허	9/17	9/18	9/19	9/20	9/21
A	차장	○		■	■	■	■
B	차장	○	■	■	■		
C	과장				■	■	■
D	과장	○				■	■
E	과장		■	■	■		
F	대리	○			■	■	
G	대리	○	■	■			
H	대리		■	■	■		
I	사원	○			■	■	■
J	사원			■	■	■	■

우선 A와 J는 9/18~21에 고향에 방문한다. 그러므로 둘은 9/17에 당직 근무를 하게 된다. C와 I는 9/19~21에 고향에 방문한다. 9/17 당직 근무자가 A와 J로 확정되었으므로, C와 I는 9/18에 당직 근

무를 하게 된다. D는 9/20~21에 고향에 방문한다. 이미 9/17과 9/18의 과장~차장급 당직 근무자는 확정되었으므로 D는 9/19에 당직 근무를 한다. 사원~대리급에서는 9/19에 당직 가능한 인원은 G밖에 없으므로 G가 당직 근무를 한다. 마지막으로, 사원~대리급은 F와 H가 남았다. F가 9/21에만 당직 근무가 가능하므로 F가 9/21, H가 9/20에 당직 근무를 한다. 이를 정리하면 다음과 같다.

구분	9/17		9/18		9/19		9/20		9/21	
	이름	면허	이름	면허	이름	면허	이름	면허	이름	면허
과장~차장급	A	○	C		D	○				
사원~대리급	J		I	○	G	○	H		F	○

9/20에 당직 근무를 하는 H는 운전면허가 없으므로 과장~차장급 9/20 당직 근무자는 면허가 있어야 한다. 그러므로 B와 E 중 운전면허가 있는 B가 9/20, E가 9/21에 당직 근무를 해야 한다.
따라서 9/20에 B, H가 함께 당직 근무를 하게 되므로 ③이 정답이다.

05 정보능력

정답 | ②

해설 데스크톱 위젯은 웹페이지 접속 없이 PC 구동과 함께 정보를 실시간으로 제공받을 수 있지만 서비스 제공자마다 고유의 위젯 엔진을 제공하기 때문에 위젯 상호 간의 호환이 불가능하다는 단점이 있다.

06 대인관계능력

정답 | ④

해설 주어진 사례는 5가지 협상전략 중 수용형에 대한 설명이다. 수용형은 자신에 대한 관심은 낮고 상대방에 대한 관심은 높은 경우로서 '나는 지고 너는 이기는 방법(I lose－You win)'을 말한다. 이 방법은 상대방의 관심을 충족하기 위하여 자신의 관심이나 요구는 희생함으로써 상대방의 의지에 따르는 경향을 보인다. 상대방이 거친 요구를 해오는 경우에 전형적으로 나타나는 반응이다.

| 오답풀이 |

① 상대방과 본인의 욕구를 모두 충족시키지 못하는 것은 회피형 협상전략의 특징이다.
② 통합형 협상전략에 대한 설명으로, 통합형 협상전략은 문제해결을 위하여 서로 간에 정보를 교환하면서 모두의 목표를 달성할 수 있는 윈－윈 해법을 찾는 방식이다. 아울러 서로의 차이를 인정하고 배려하는 신뢰감과 공개적인 대화를 필요로 한다. 가장 바람직한 갈등해결 유형이라 할 수 있다.
③ 서로가 받아들일 수 있는 결정을 하기 위하여 타협적으로 주고받는 방식으로, 이는 타협형 협상전략에 대한 특징이다.
⑤ 자신에 대한 관심은 높고 상대방에 대한 관심은 낮은 경우에 나타나는 경쟁형 협상전략에 대한 특징이다.

07 조직이해능력

정답 | ③

해설 본부장 전결 업무는 본부장이 최종 결재권자이므로 상위 직급자인 사장의 결재가 필요하지 않다. 따라서 마케팅본부장이 최종 결재권자인 결재 문서를 작성한 것은 적절한 행위가 된다.

| 오답풀이 |

① 감사실장은 사장 직속 조직이며, 감사에 관한 업무가 아닌 경우 본부장과 사장 사이에 포함된 결재 라인이라고 볼 수 없다. 따라서 분기별 판매계획안과 같은 영업 업무에 관한 문서의 결재 라인에 감사실장을 포함하는 것은 적절하지 않다.
② 해외 출장 계획서는 감사 관련 업무로 볼 수 없으므로 감사실장에게 보고하는 것은 적절하지 않다.
④ 사장 전결 업무 문서는 이하 직급자 모두의 결재를 받아야 하므로 마케팅본부장의 결재 역시 포함되어야 한다.
⑤ 인사처의 사장 전결 업무는 인사처장, 관리본부장, 사장의 순으로 결재를 받아야 하며, 타 본부의 본부장이 결재 라인에 포함되어야 하는 것은 아니다.

NCS 실전모의고사 P. 64

01	③	02	④	03	②	04	③	05	⑤
06	③	07	⑤	08	①	09	④	10	③
11	③	12	①	13	①	14	⑤	15	③
16	②	17	③	18	②	19	④	20	①
21	④	22	③	23	①	24	⑤	25	④
26	③	27	⑤	28	③	29	③	30	①
31	⑤	32	②	33	④	34	⑤	35	④
36	⑤	37	①	38	①	39	①	40	④
41	④	42	⑤	43	①	44	③	45	③
46	④	47	④	48	④	49	④	50	④

01 어휘 정답 | ③

해설 ㉠ 연구진이 개발한 배터리의 구조가 뱀의 비닐의 구조를 따라했다는 의미이므로, '어떤 대상이나 사물, 현상 따위를 언어로 서술하거나 그림을 그려서 표현함'을 의미하는 '묘사'가 아닌, '원본을 베끼어 씀'이라는 의미를 갖는 단어인 '모사'가 적절하다.

㉡ 유연하게 움직이면서 안정성이 나타나는 배터리를 만들고자 하였다는 의미이므로, '속에 있거나 숨은 것이 밖으로 나타나거나 그렇게 나타나게 함'을 의미하는 '발현'이 아닌, '어떤 내용이 구체적인 사실로 나타나게 함'이라는 의미를 갖는 단어인 '구현'이 적절하다.

㉢ 유연 전극을 자르고 접는 방식의 제조 공정을 종이접기에서 따 왔다는 의미이므로, '어떤 방안, 물건 따위를 처음으로 생각하여 냄'을 의미하는 '창안'이 아닌, '어떤 일을 주의하여 봄 또는 어떤 문제를 해결하기 위한 실마리를 잡음'이라는 의미를 갖는 단어인 '착안'이 적절하다.

㉣ 배터리를 개발한 기술을 재활 의료기기에 부착해 몸이 불편한 노약자를 돕는다는 의미이므로, '윗사람의 일을 도움'을 의미하는 '보필'보다는 '보태어 도움'의 의미를 갖는 단어인 '보조'가 적절하다.

02 의미 관계 정답 | ④

해설 '주기적(週期的)'은 '일정한 간격을 두고 되풀이하여 진행하거나 나타나는 것'을 의미하고, '간헐적(間歇的)'은 '얼마 동안의 시간 간격을 두고 되풀이하여 일어나는 것'을 의미하므로 두 단어는 의미적 연관성이 있는 유의 관계에 있다. 따라서 '거리로 따졌을 때, 육지에 가까이 있는 바다'의 의미를 갖는 '근해(近海)'와 '육지에 가까이 있는 바다'의 의미를 갖는 '연해(沿海)'의 관계와 같다.

| 오답풀이 |

나머지 선택지들은 모두 반의 관계에 해당한다.

① 매각(賣却): 물건을 팔아 버림.
매입(買入): 물건 따위를 사들임.

② 진품(眞品): 진짜인 물품.
모조(模造): 이미 있는 것을 그대로 따라 하거나 본떠서 만듦. 또는 그런 것.

③ 강등(降等): 등급이나 계급 따위가 낮아짐. 또는 등급이나 계급 따위를 낮춤.
승격(昇格): 지위나 등급 따위가 오름. 또는 지위나 등급 따위를 올림.

⑤ 임명(任命): 일정한 지위나 임무를 남에게 맡김.
면직(免職): 일정한 직위나 직무에서 물러나게 함.

03 주제 · 제목 찾기 정답 | ②

해설 주어진 글의 첫 문단에서는 가십이나 뒷말이라고 부르는 다른 사람에 대한 이야기가 다양한 사회적 단위에서 빈번히 나타남을 언급하면서, 이어 이와 관련해 온라인 플랫폼에서 진행된 관계망 실험의 진행 방식을 설명하였다. 그리고 해당 실험 결과를 제시하면서 사람들은 타인에 대한 정보를 얻기 위해 가십을 활용하며, 가십을 나누는 과정을 통해 서로 보다 큰 유대감을 갖게 된다고 하였다. 따라서 글의 주제로는 '가십이 정보 교류와 유대를 높이는 역할을 한다'가 가장 적절하다.

04 내용 이해 정답 | ③

해설 3문단에서 생분해 플라스틱은 폐기했을 때 일정한 조건이 조성되면 미생물의 작용으로 물, 이산화탄소, 메탄 등으로 분해된다고 하였다. 즉 생분해성 플라스틱은 미생물이 작용하는 특정한 조건을 갖추어야 생분해가 가능함을 알 수 있다.

| 오답풀이 |

① 4문단에서 친환경 플라스틱 물질로 PLA, TPS, CA, CDA 등의 물질을 언급하였으나, 어떤 문질의 분해 속도가 더 빠른지는 주어진 글을 통해 판단할 수 없다.

② 5문단에서 PLA는 양모나 면과 같은 천연섬유보다는 분해속도가 느리다고 하였으므로 양모로 만든 섬유가

PLA로 만든 섬유보다 분해 속도가 빠를 것임을 알 수 있다.

④ 1문단에서 유럽연합은 2021년부터 빨대, 면봉, 물티슈, 봉투, 그릇 등 일반인이 가장 많이 사용하는 플라스틱 제품 10가지의 사용을 금지한다고 하였다.

⑤ 3문단에서 바이오매스 기반 플라스틱은 생물 유래 물질로 생태계에 미치는 영향이 적어 일정 기간 내에 반드시 분해될 필요는 없다고 하였다.

05 내용 이해

정답 | ⑤

해설 제31조 제2항에 따르면 국토교통부장관은 대통령령으로 정하는 바에 따라 공항시설 또는 비행장시설이 시설관리기준에 맞게 관리되는지를 확인하기 위하여 필요한 검사를 해야 하지만, 제38조 제1항에 따른 공항으로서 제40조 제1항에 따른 공항의 안전운영체계에 대한 검사를 받는 공항은 이 검사를 하지 않을 수 있다.

| 오답풀이 |

① 제31조의2 제3항에서 제1항에 따른 안전관리기준의 시행 및 제2항에 따른 처분의 기준·절차 등에 필요한 사항은 대통령령이 아닌 국토교통부령으로 정한다고 하였다.

② 제32조 제2항에서 사용료의 금액을 정하거나 변경하려는 경우에는 국토교통부장관에게 신고하여야 하며, 지방자치단체의 장과 공공기관을 제외한 자가 사용료를 정하거나 변경하려는 경우에는 국토교통부장관의 승인을 받아야 한다고 하였다.

③ 제32조 제3항에 따르면 국토교통부장관은 사용료 징수에 관한 신고를 받은 날부터 10일 이내에 신고수리 여부를 신고인에게 통지하여야 하며, 동조 제4항에 따르면 제3항에서 정한 기간 내에 신고수리 여부 또는 민원 처리 관련 법령에 따른 처리기간의 연장을 신고인에게 통지하지 아니하면 그 기간이 끝난 다음 날에 신고를 수리한 것으로 본다고 하였으므로 일주일 후부터 해당 신고가 수리된 것으로 본다는 내용은 옳지 않다.

④ 제31조의2 제2항에 따르면 거짓 또는 그 밖의 부정한 방법으로 제1항 제1호(차량을 운전하거나 장비 등을 사용하려는 경우 공항운영자의 사전 승인을 받을 것)에 따른 승인을 받은 경우에는 운전업무의 승인 취소를 명하여야 한다.

06 사례 찾기

정답 | ③

해설 제31조의2 제1항 제4호에 따르면 지상에서 이동 중인 항공기의 앞을 가로지르거나 주기 중인 항공기의 밑으로 운행하는 행위는 안전관리기준에 위배되지만, 항공기에 대한 급유, 화물의 하역 등 항공기 관련 업무를 수행 중인 경우는 제외된다. 따라서 항공기에 연료를 보급하기 위해 관련 장비를 항공기 밑으로 운행한 경우는 안전관리기준에 위배되지 않는다.

| 오답풀이 |

① 제31조의2 제1항 제7호에 따라 안전관리기준에 위배된다.

② 제31조의2 제1항 제5호에 따라 안전관리기준에 위배된다.

④ 제31조의2 제1항 제2호에 따라 안전관리기준에 위배된다.

⑤ 제31조의2 제1항 제6호에 따라 안전관리기준에 위배된다.

07 문단 배열

정답 | ⑤

해설 먼저 거품 경제의 시초가 된 튤립 파동에 대해 언급하고 있는 [다]가 가장 처음에 와야 한다. [다] 뒤에는 오스만 제국이 고향인 튤립이 네덜란드에서 처음으로 주목받기 시작한 배경에 대해 설명하고 있는 [가]가 이어져야 하며, [가] 뒤에는 튤립 중에서도 바이러스로 인한 희귀종 튤립의 가치가 높아져 투자가 몰리기 시작했다는 내용의 [마]가 오는 것이 자연스럽다. 또한 [마] 뒤에는 선물 계약으로 인해 튤립 투자 열풍이 더욱 본격화되면서 튤립 가격이 폭등하기 시작했다는 내용의 [라]가 이어져야 한다. 마지막으로 [라] 뒤에는 얼마 지나지 않아 튤립 가격이 폭락하기 시작하면서 결국 황금기에 있던 네덜란드가 대공황기에 들어서게 되었다는 내용의 [나]가 이어지며 글이 마무리되는 것이 자연스럽다. 따라서 [가]~[마]를 문맥의 흐름에 맞게 배열하면 [다] – [가] – [마] – [라] – [나]이다.

08 내용 이해

정답 | ①

해설 4문단에 따르면 독일의 교통완화지역은 본엘프나 커뮤니티 존처럼 보행자가 우선되는 구역은 아니며, 차량의 이동권을 보행자가 함부로 방해하는 행위가 금지된다. 따라서 커뮤니티 존은 차량의 이동권보다 보행자의 권리가 우선되는 구역임을 추론할 수 있다.

| 오답풀이 |

② 2문단에 따르면 본엘프에서는 요철, 장애물의 설치 등으로 차량의 통행은 가능하지만 이동을 불편하도록 하여 차량의 운행속도를 제한한다. 즉, 의도적으로 차량에 방해가 되는 장애물을 설치한다.

③ 2문단에 따르면 본엘프 구역에서 차량이 주행할 수 있는 최대 속도는 15km/h이며, 3문단에서 커뮤니티 존에서의 최고속도는 30km/h라고 하였다.
④ 2문단에서 본엘프 사업 사례는 이후 공유 도로, 홈 존(Home zone), 속도 30(Temp 30), 커뮤니티 존 등 다양한 형태의 도로로 변화하여 영국, 독일, 스위스 등 유럽 국가와 일본으로 전파되었다고 하였다.
⑤ 1문단에서 2018년 기준의 차 대 보행자 교통사고율을 제시하고 있으나, 2020년의 교통사고율은 주어진 글을 통해 알 수 없다.

09 주제 · 제목 찾기 정답 | ④

해설 주어진 보도자료에서는 LH에서 공공임대주택에 입주하는 주거약자들을 위해 건설임대주택 주거약자용 편의시설 설치 기준을 개선하여 시설 설치를 전면 확대함을 밝히면서, 그 세부 내용들을 차례로 제시하고 있다. 따라서 주어진 보도자료의 제목은 'LH, 건설임대주택 주거약자용 편의시설 설치 전면 확대' 정도가 되어야 한다.

10 내용 이해 정답 | ③

해설 ㉡ '주거약자용 주택 설계 기준 개선'에 따르면 신규 주택은 신청시기와 무관하게 설치를 전면 지원한다고 하였으므로 신청시기에 요청한 세대에 한한다는 내용은 적절하지 않다.
㉣ 기존에 입주한 단지의 경우 좌식 싱크대의 설치가 불가능하다고 하였으므로, 입주자 필요 시 유료로 설치하였다는 내용은 적절하지 않다.

| 오답풀이 |
㉠ '최초 입주자모집 시기 조정'에서 기존에는 입주 시기만을 고려하였다고 하였다.
㉢ '조립식 욕실 개선'에서 기존 단지 중 조립식 욕실(UBR)이 설치된 주택의 경우, 필요로 하는 경우에 조립식 욕실을 철거하고 일반 욕실로 변경함으로써 휠체어 진입이 가능하도록 욕실 출입문 규격을 확대하고 욕조 제거 등을 통해 장애인 편의시설 등을 설치한다고 하였다.

11 응용수리 정답 | ③

해설 홍보팀 팀원을 x명이라고 하면 팀원 한 사람이 정리한 파일의 개수는 홍보팀 팀원 수보다 1개 적으므로 $(x-1)$개다.
파일 132개를 홍보팀 팀원들이 똑같이 나누어 정리했으므로
$x(x-1)=132$
$x^2-x-132=0$
$(x+11)(x-12)=0$
$\therefore x=-11$ 또는 $x=12$
홍보팀 팀원은 자연수이므로 구하는 홍보팀 팀원은 12명이다.

12 응용수리 정답 | ①

해설 (원가)$=10,000$원

(정가)$=10,000\times\left(1+\frac{a}{100}\right)=10,000+100a$

(판매 금액)$=(10,000+100a)\left(1-\frac{a}{100}\right)$
$=10,000-a^2$

이때 (판매 금액)$-$(원가)$=-900$이므로
$(10,000-a^2)-10,000=-900$
$-a^2=-900$
$\therefore a=-30$ 또는 $a=30$
따라서 가나다 패션에서 재고로 남은 옷들은 30% 할인하여 팔았다.

13 응용수리 정답 | ①

해설 시행사업부 직원 84명이 1차 인사평가에서 받은 점수의 평균을 x점이라고 하면 시행사업부 직원 84명이 2차 인사평가에서 받은 점수의 총점은 $(84x+35\times6)$점이다.
이때 시행사업부 직원 84명이 2차 인사평가에서 받은 점수의 평균이 21점 이하이므로
$\frac{84x+35\times6}{84}\leq21 \rightarrow x\leq\frac{1,554}{84}$
$\therefore x\leq18.5$
따라서 시행사업부 직원 84명이 받을 수 있는 1차 인사평가 평균 점수의 최댓값은 18.5점이다.

14 응용수리 정답 | ⑤

해설 김 과장이 이동하는 데 걸린 시간은 $\frac{240}{80}$ $=3$(시간)이다.
박 과장이 이동한 평균 속력을 $x$km/h라고 하면 박 과장은 김 과장보다 A지역 사무실에 1시간 미만으

로 늦게 도착했으므로 $3<\frac{240}{x}<4$에서 $60<x<80$이다.

즉, 박 과장이 이동한 평균 속력은 60km/h 초과 80km/h 미만이므로 평균 속력으로 가능하지 않은 것은 80km/h이다.

15 문제처리능력 정답 | ③

해설 참여대상은 만 19세 이상이고, '21년 2분기(4~6월) 중 본인 명의의 신용·체크카드 사용실적(비소비성 지출 외)이 있는 자여야 한다. 따라서 본인 명의의 카드 사용실적이 없으므로 상생소비지원금을 신청할 수 없다고 답변할 수 있다.

| 오답풀이 |

① 주어진 자료에는 할부에 관한 안내는 나와 있지 않다.

② 주어진 자료에는 전담카드사 카드 미보유 시 신청 방법에 관한 안내는 나와 있지 않다.

④ 시행 첫 1주일에는 주말에 상생소비지원금을 신청할 수 없다는 내용을 확인할 수 있지만 그 이후에 주말에 상생소비지원금을 신청할 수 있는지에 관한 안내는 나와 있지 않다.

⑤ 주어진 자료에는 지원금의 양도에 관한 안내는 나와 있지 않다.

16 문제처리능력 정답 | ②

해설 정부·지자체 등에서 지급받은 지원금(국민지원금 등)이 있는 경우 사용기한이 먼저 도래하는 지원금부터 순차 차감한다. 상생소비지원금의 사용기한은 2022년 6월 30일까지이고, 지자체로부터 받은 재난지원금의 사용기한이 2021년 12월 31일까지이므로 재난지원금을 먼저 사용한다.

| 오답풀이 |

① 총카드 사용액 중 해외 사용액 및 실적적립 제외 업종 사용액은 제외해야 하므로 알 수 없다.

③ 9개 전담카드사 중 4개 카드사의 카드를 보유한 경우 이 카드 중 하나를 전담카드사로 지정해야 하고, 전담카드사에 여러 장의 카드를 보유한 경우 이 카드 중 어느 카드를 사용해도 상생소비지원금을 사용할 수 있다. 다른 카드사의 카드를 사용하는 경우에는 상생소비지원금을 사용할 수 없다.

④ 11월 15일에 지원금을 지급받은 이후 카드결제 취소를 하는 경우에 12월 15일에도 캐시백을 지급받을 수 있다면 차회 카드사에서 반환 대금을 청구하지 않지만 사용실적에 따라 캐시백을 지급받지 못한다면 차회 카드사에서 반환 대금을 청구한다.

⑤ 온라인몰 중 대형 온라인몰에서 결제한 금액은 사용실적에 포함하지 않으나 모든 온라인몰의 결제 금액이 사용실적에 포함되지 않는 것은 아니다.

17 문제처리능력 정답 | ③

해설 현재 주택바우처를 받고 있다면 차액만큼 지원받을 수 있고, 청년수당 수급 이력이 있어도 현재 청년수당을 받고 있지 않다면 신청할 수 있다.

| 오답풀이 |

① 셰어하우스 등에 거주하며 임대인(사업자 포함)과 개별 임대차 계약을 체결한 주민등록상 동거인은 동시 지원 신청 가능하다.

② 연령 기준은 신청·접수 시작일(2021. 8. 10.) 기준으로 하며, 선정된 이후 기준 연령을 초과하여도 계속 지원한다.

④ 신청일 기준, A시에 주민등록이 되어 있고 실제 거주하는 청년 1인 가구를 지원한다.

⑤ 국민기초생활수급자 중 생계, 의료, 주거급여 대상자는 신청이 불가능하나 국민기초생활수급자 중 '교육급여' 대상자는 신청이 가능하다.

18 문제처리능력 정답 | ②

해설
- A: 보증금이 4,000만 원, 월세가 30만 원이므로 신청 가능하다.
- E: 보증금이 없는 월세계약은 신청할 수 있다.
- G: $3,000\times0.025\div12+60\fallingdotseq66$(만 원)으로 월세 환산액과 월세의 합이 70만 원 이하이므로 신청할 수 있다.

| 오답풀이 |

- B: $4,500\times0.025\div12+65\fallingdotseq74$(만 원)으로 월세 환산액과 월세의 합이 70만 원을 초과하므로 신청할 수 없다.
- C: 만 19세 미만이므로 신청할 수 없다.
- D: 월세가 없는 전세계약은 신청할 수 없다.
- F: 보증금이 5,000만 원을 초과하므로 신청할 수 없다.

19 조건추리 정답 | ④

해설 컴퓨터는 짝수 층에서 구매하므로 2층이나 4층에서 구매해야 한다. 세탁기는 컴퓨터보다 높은 층, TV보다 낮은 층에서 구매한다. 컴퓨터보다 높은 층은 최소 2층(세탁기, TV) 이상이므로 컴퓨터는 2층에서 구매해야 한다. 세탁기는 2층보다 높은 층에서 구매하되, TV보다 낮은 층에서 사야하므로 3층이나 4층에서 구매해야 한다.
또한 냉장고는 에어컨보다 높은 층, 세탁기보다 낮은 층에서 구매한다고 하였다. 즉 세탁기보다 낮은 층에서 구매하는 것이 컴퓨터 외에 냉장고, 에어컨도 있으므로 세탁기는 4층에서 구매해야 한다. 냉장고는 에어컨보다 높은 층에서 구매하므로 에어컨은 1층, 냉장고는 3층에서 구매한다. TV는 5층에서 구매한다. 이를 정리하면 다음과 같다.

구분	1층	2층	3층	4층	5층
입점 브랜드	L사	W사	S사	H사	D사
구매 품목	에어컨	컴퓨터	냉장고	세탁기	TV

따라서 A가 가전을 구매하는 데 사용한 총비용은 245+105+170+125+90=735(만 원)이다.

20 문제처리능력 정답 | ①

해설 A는 한옥 촉진 지역 내, 건축 연면적이 90m^2 이상 110m^2 미만이고, 신축이므로 공사비는 최대 120,000천 원=12,000만 원 지원 가능하다.
B는 한옥 촉진 지역 내 건축 연면적이 110m^2 이상이고, 개축이므로 공사비는 최대 150,000천 원=15,000만 원 지원 가능하나 공사비 50% 범위 내로 지원하므로 최대 8,000만 원을 지원한다.
C는 한옥 촉진 지역 외이고, 외관 수선이므로 10,000천 원=1,000만 원 지원 가능하나 공사비 범위 내에서 지원하므로 900만 원을 지원한다.
D는 한옥 촉진 지역 내이고, 건축 연면적이 70m^2 미만이고, 내부 수선이므로 30,000천 원=3,000만 원 지원 가능하다. 공사비 범위 내에서 지원하므로 3천만 원 지원 가능하다.
따라서 A~D가 받을 수 있는 최대 지원금액의 합은 12,000+8,000+900+3,000=23,900(만 원)이다.

21 조건추리 정답 | ④

해설 최종 승리 인원이 1명이라면 여섯 번째 게임에 참여한 인원은 2명이다. 다섯 번째 게임에서 16명이 탈락하므로 다섯 번째 게임에 참여한 인원은 18명이다. 네 번째 게임에서는 절반이 탈락하므로 네 번째 게임에 참여한 인원은 36명이다. 세 번째 게임에서도 절반이 탈락하므로 세 번째 게임에 참여한 인원은 72명이다. 두 번째 게임에서 25%만이 통과하므로 두 번째 게임에 참여한 인원은 72×4=288(명)이다. 첫 번째 게임에 참여한 인원은 288의 2배 이상이어야 한다. 따라서 최소 576명이다. 즉, 첫 번째 게임에 576명이 참가하여 288명이 탈락하므로 288만 원이 적립된다. 두 번째 게임에서 288×0.75=216(명)이 탈락하므로 216×2=432(만 원)이 적립된다. 세 번째 게임에서 36명이 탈락하므로 36×3=108(만 원)이 적립된다. 네 번째 게임에서 18명이 탈락하므로 18×4=72(만 원)이 적립된다. 다섯 번째 게임에서 16명이 탈락하므로 16×5=80(만 원)이 적립된다. 여섯 번째 게임에서 1명이 탈락하므로 6만 원이 적립된다. 따라서 적립금은 총 288+432+108+72+80+6=986(만 원)이다.

22 조건추리 정답 | ③

해설 4회까지 회차별 점수와 합산 점수를 구하면 다음과 같다.

선수	1회	2회	3회	4회	합계
A	5	1	2	0	8
B	0	0	4	2	6
C	0	2	5	4	11
D	4	4	1	0	9
E	2	5	0	5	12
F	1	0	0	1	2

5회까지 경기를 하면 모두 합산 점수에서 +0점 ~ +5점이 될 수 있다.

㉠ B가 5회에서 4점 이하를 받으면 10점으로 C, E의 4회 차까지의 합산 점수보다 낮으므로 2위가 될 수 없다. B가 5회에서 5점을 받고, C가 0점, D가 1점, E가 2점을 받는 경우 B 또는 C가 11점으로 2위가 될 수 있다. 이때 1회부터 5회까지 B와 C는 1위 1번, 2위 1번, 3위 1번, 5위 또는 6위를 두 번 하였다. 즉, 순위가 동일하므로 5회에서 1위를 한 B의 순위가 더 높다. 따라서 B는 2위가 될 수 있다.

㉡ F는 5회에서 5점을 받으면 7점이다. 이 경우 A, C, D, E의 4회 차까지의 합산 점수보다 낮으므

로 항상 본선에 진출할 수 없다.

㉢ E는 반드시 본선에 진출한다. 만약 A, C, D, E가 본선에 진출하고, D가 5회와 본선에서 1위, A가 5회와 본선에서 2위, C가 5회와 본선에서 3위, E가 5회에서 5위 또는 6위, 본선에서 4위를 한 경우 D는 19점, A는 16점, C는 15점, E는 13점이 된다. 따라서 E가 대표 선수 또는 후보 선수로 선발되지 않을 수 있다.

| 오답풀이 |

㉣ F 또한 본선에 진출하지 않으므로 C가 본선에 진출하지 않는다면 A, B, D, E가 본선에 진출해야 한다. A, B, D가 11점 이상이려면 5회의 점수는 A는 적어도 3점, B는 적어도 5점, D는 적어도 2점이어야 한다. 3점은 없으므로 A는 적어도 2위, B는 적어도 1위, D는 적어도 3위가 되어야 한다. 따라서 반드시 A는 2위(4점), B는 1위(5점), D는 3위(2점)이 되어야 한다. 이때 B, C, D가 11점으로 동일한데 D는 1위가 된 적이 없으므로 C의 순위가 D의 순위보다 높다. 따라서 C가 선발된다. D가 5회에서 3위가 아닌 1위 또는 2위가 된다면 A 또는 B의 점수가 C의 점수보다 낮으므로 C가 선발된다. 따라서 C는 본선에 반드시 진출한다.

23 조건추리 정답 | ①

해설 C는 E보다 한 살이 많고 D보다 세 살이 어리다. 그러므로 C의 나이를 X라고 한다면 E의 나이는 X−1이 되고, D의 나이는 X+3이 된다. 또한 B는 A보다 네 살이 많다. 그러므로 B의 나이를 Y라고 한다면 A의 나이는 Y−4이다.
나이가 가장 어린 신입사원은 24세이고 나이가 가장 많은 신입사원은 31세이다. 나이가 가장 어린 신입사원이 될 수 있는 사람은 X−1세인 E 또는 Y−4세인 A이다. 마찬가지로 나이가 가장 많은 신입사원이 될 수 있는 사람은 X+3세인 D 또는 Y인 B이다. 경우의 수를 따지면 다음과 같다.

i) 나이가 가장 많은 신입사원이 D인 경우
X+3세인 D의 나이가 31살이다. 이 경우, X=28이 된다. 그렇다면 C는 28세, E는 27세가 된다. 그렇다면 나이가 가장 어린 신입사원은 A가 되어야 한다. Y−4=24이므로 Y=28이 된다. 이 경우, B의 나이도 28세가 되어 B와 C의 나이가 같아 모순이다.

A	B	C	D	E
Y−4	Y	X	X+3	X−1
24세	28세	28세	31세	27세

ii) 나이가 가장 많은 신입사원이 B인 경우
이 경우 B의 나이인 Y=31로 A의 나이는 31−4=27(세)이다. 그렇다면 나이가 가장 어린 신입사원은 E가 되어야 한다. X−1=24이므로 X=25가 된다. 이 경우, C는 25세, D는 28세가 된다. 5명의 나이가 모두 다르므로 모순이 없다.

A	B	C	D	E
Y−4	Y	X	X+3	X−1
27세	31세	25세	28세	24세

따라서 나이가 가장 어린 사람은 E이다.

| 오답풀이 |

② 나이가 두 번째로 많은 사람은 28세인 D이다.
③ 나이가 세 번째로 많은 사람은 27세인 A이다.
④ 나이가 두 번째로 적은 사람은 25세인 C이다.
⑤ B는 31세로 28세인 D보다 나이가 많다.

24 조건추리 정답 | ⑤

해설 을은 무가 식사한 다음 날에 식사를 하였고, 병은 정이 식사하기 전날에 식사를 하였다. 그러므로 가능한 경우의 수는 다음과 같다. 남은 한 칸에는 갑이 식사를 한다. 갑은 수요일에 식사를 하지 않고 정은 화요일에 식사를 하지 않으므로, 두 경우는 제외한다.

월	무	무	갑	병	병	갑
화	을	을	무	정	정	병
수	병	갑	을	무	갑	정
목	정	병	병	을	무	무
금	갑	정	정	갑	을	을

본인이 선호하는 음식을 저녁 식사로 먹는 사람은 1명이라고 하였다. 그러므로 선호하는 음식을 먹는 사람이 1명보다 많거나 적은 경우는 제외한다.

월	초밥(무)	무	갑	갑
화	돈가스(갑)	을	무	병
수	파스타(병)	병	을	정

목	갈비탕(을)	정	병	무
금	짜장면(정)	갑	정	을

따라서 가능한 경우는 아래 1가지이며, 이때 본인이 선호하는 음식을 먹는 사람은 짜장면을 먹는 정이다.

구분	월	화	수	목	금
할인 메뉴	초밥	돈가스	파스타	갈비탕	짜장면
선호하는 사람	무	갑	병	을	정
식사하는 사람	갑	무	을	병	정

25 조건추리

정답 | ④

해설 바나나 과자는 짝수 번째에, 초코 과자는 홀수 번째에 있어야 한다. 과자 배치 순서가 양 끝, 짝수 번째, 홀수 번째로 지칭되어 있다. 과자의 가짓수가 5개이므로 과자 배치가 바르게 된 경우, 순서를 뒤집어도 바른 배치가 된다. 즉, 선택지 중에서 과자 배치를 뒤집어도 동일한 보기 2개가 있다면 이는 옳은 것이 된다. ①과 ③, ②와 ⑤가 동일하므로 옳지 않은 것은 ④이다.

| 오답풀이 |

① 딸기 과자(1)는 가장 끝에 있고, 멜론 과자(4)는 바닐라(5) 과자 옆에 있고 양 끝에 있지 않다. 초코 과자는 홀수 번째(3), 바나나 과자는 짝수 번째(2)에 있고 양 끝에 있지 않다.

② 딸기 과자(1)는 가장 끝에 있고, 멜론 과자(2)는 바닐라(3) 과자 옆에 있고 양 끝에 있지 않다. 초코 과자는 홀수 번째(5), 바나나 과자는 짝수 번째(4)에 있고 양 끝에 있지 않다.

③ 딸기 과자(5)는 가장 끝에 있고, 멜론 과자(2)는 바닐라(1) 과자 옆에 있고 양 끝에 있지 않다. 초코 과자는 홀수 번째(3), 바나나 과자는 짝수 번째(4)에 있고 양 끝에 있지 않다.

⑤ 딸기 과자(5)는 가장 끝에 있고, 멜론 과자(4)는 바닐라(3) 과자 옆에 있고 양 끝에 있지 않다. 초코 과자는 홀수 번째(1), 바나나 과자는 짝수 번째(2)에 있고 양 끝에 있지 않다.

26 조건추리

정답 | ③

해설 연차를 쓰기 전 날은 수원 공장에 출장을 다녀온다. 그러므로 가능한 일정은 다음과 같다. 이 중 목요일은 수원 공장 전체 야유회 날이라 출장을 갈 수 없음을 고려해야 한다.

월	수원 공장 출장			
화	연차	수원 공장 출장		
수		연차	수원 공장 출장	
목			연차	~~수원 공장 출장~~
금				연차

또한, 신제품 초안 설계를 한 다음 날에 임원 보고에 참석한다. 추가로 업체 미팅과 연차 사용은 연달아서 하지 않는다고 하였다. 연차 전날은 수원 공장에 출장을 가므로 연차 다음 날에 업체 미팅을 하지만 않으면 된다. 업체 미팅은 금요일에 진행하지 않으므로 업체 미팅이 금요일인 경우는 제외한다.

월	수원 공장 출장	업체 미팅	신제품 초안 설계	
화	연차	수원 공장 출장	임원 보고 참석	
수	신제품 초안 설계	연차	수원 공장 출장	
목	임원 보고 참석	신제품 초안 설계	~~연차~~	~~수원 공장 출장~~
금	~~업체 미팅~~	임원 보고 참석	~~업체 미팅~~	연차

그러므로 가능한 경우는 연차를 수요일에 사용하는 일정이다. 수요일에 연차를 쓰고 할 수 있는 일은 은행과 서점에 방문하는 것이다.

27 조건추리

정답 | ⑤

해설 저녁식사는 4조로 나누어서 진행한다. 소속팀을 보면 영업팀 직원이 4명이고, 4조로 나누어 식사를 하므로 각 조에 영업팀 직원이 한 명씩 들어가면 된다. 백신 접종자가 5명이므로 백신 접종자 2인, 백신 접종자 3인, 백신 비접종자 2인, 백신 비접종자 3인으로 조를 나누면 된다.

백신 접종 1조	라희(영업)		
백신 접종 2조	준수(영업)		
백신 비접종 1조	가영 (영업-카드)		
백신 비접종 2조	병철(영업)		

나연과 준수는 함께 식사를 하였다. 백신 접종자 중에 법인카드를 가지고 있는 사람은 나연과 선호이다. 준수와 나연이 함께 식사를 하므로 선호는 라희와 함께 식사를 해야 한다. 나머지 백신 접종자는 철언이다. 철언은 회계팀이므로 선호와 다른 조에서 식사를 해야 한다.

백신 접종 1조	라희(영업)	선호 (회계-카드)	
백신 접종 2조	준수(영업)	나연 (마케팅-카드)	철언(회계)
백신 비접종 1조	가영 (영업-카드)		
백신 비접종 2조	병철(영업)		

가영과 오현은 함께 식사를 하였다. 또한 가영은 법인카드를 가지고 있다. 그러므로 백신 비접종자 중에 법인카드를 가진 문호가 병철의 조에서 식사를 해야 한다. 오현이 마케팅팀이므로 다은은 병철의 조에서 식사를 해야 한다.

백신 접종 1조	라희(영업)	선호 (회계-카드)	
백신 접종 2조	준수(영업)	나연 (마케팅-카드)	철언(회계)
백신 비접종 1조	가영 (영업-카드)	오현(마케팅)	
백신 비접종 2조	병철(영업)	문호 (기획-카드)	다은(마케팅)

따라서 옳지 않은 조합은 다은 – 병철 – 오현이다.

28 조건추리

정답 | ③

해설 갑, 을의 가위바위보 승, 패를 고려하면 다음과 같다.

	1	2	3	4	5	6	7	8	9	10	11	12
갑	패	승	승	패	승	무	승	패	승	무	승	패
을	승	패	패	승	패	무	패	승	패	무	패	승

둘의 위치를 계산하면 다음과 같다. 숫자는 n번째 경기가 끝났을 때의 위치이다.

		1경기	2경기	3경기	4경기	5경기	6경기	7경기	8경기	9경기
갑	1	1	4 ↓ 3	6	5	8 ↓ 10	11 ↓ 14 ↓ 10	13	12	15 (승)
을	1	4 ↓ 3	2	1	4 ↓ 3	2	3	2	5	4 ↓ 3

가위바위보 9경기가 끝났을 때 갑이 15에 도달한다. 그러므로 9경기가 끝났을 때 갑이 승리한다. 갑이 승리하였을 때, 을은 3번에 위치해 있으므로 8보다 작은 숫자에 위치해 있다.

| 오답풀이 |

① 갑은 2경기에서 4에, 5경기에서 8에, 6경기에서 11, 14에 위치하므로, 지령이 있는 칸에 4번 멈춘다.

② 을은 1경기, 4경기, 9경기에 4에 위치하므로 지령이 있는 칸에 3번 멈춘다.

④ 승자는 갑이다.

⑤ 을은 승자가 정해질 때까지 1경기, 4경기, 8경기에서 이겼으므로 3번 이겼다.

29 조건추리

정답 | ③

해설 ㉢ 현재 4, 5, 9가 지워진 상황에서 A가 빙고를 완성하려면 7이 지워져야 하고, B가 빙고를 완성하려면 3 또는 11이 지워져야 한다. 7이 나올 확률은 $\frac{6}{36}$이고, 3 또는 11이 나올 확률은 $\frac{2+2}{36}=\frac{4}{36}$이므로 이길 확률은 A가 B보다 높다.

| 오답풀이 |

㉠ 3, 8, 10을 먼저 지우는 경우 A와 B가 동시에 빙고를 완성하므로 첫 번째 빙고에서 승부가 결정 나지 않을 수 있다.

㉡ 첫 번째로 던진 주사위의 합이 10이고, 주사위를 두 번 더 던져 빙고를 완성한다면, 두 번째, 세 번째 주사위의 합이 A는 (4, 6) 또는 (3, 8)이 나와야 하고, B는 (11, 7) 또는

(3, 8)이 나와야 한다. (3, 8)이 나오는 경우, A와 B가 동시에 빙고를 완성하므로 A는 (4, 6), B는 (11, 7)이 나오는 경우만 고려한다. 주사위의 합이 (4, 6)이 나올 확률은 $\frac{3}{36}\times\frac{5}{36}=\frac{15}{36^2}$이고, 주사위의 합이 (11, 7)이 나올 확률은 $\frac{2}{36}\times\frac{6}{36}=\frac{12}{36^2}$이다. 따라서 이길 확률은 A가 B보다 높다.

30 문제처리능력 정답 | ①

해설 교과목별로 평가 방식과 백분율, 가능한 학점을 구하면 다음과 같다.

A^+ 또는 A^0는 최소 20%, B^+ 또는 B^0는 최소 30%, C^+ 또는 C^0는 최소 10%가 있어야 하므로 백분율이 상위 60% 이하라면 학점이 C^0 이상이 된다. 교과목 '가'에서 백분율이 31%이다. 상대평가이므로 B^+ 또는 B^0가 되어야 한다. 교과목 '나'는 상대평가이고, 백분율이 45%이므로 A와 B의 비율에 관계없이 반드시 B^+ 또는 B^0이다. 교과목 '다'는 P/F의 F이므로 미이수 처리한다. 교과목 '라'는 상대평가이고, 백분율이 6%이므로 A와 B의 비율에 관계없이 반드시 A^+ 또는 A^0이다. 교과목 '마'는 절대평가이고, 88점이므로 B^+이다. 교과목 '바'는 P/F 과목의 P이므로 학점은 A^0와 동일한 4점이다. 교과목 '사'는 55%이므로 학점은 A는 될 수 없고, 60%까지는 C^0 이상이므로 B^+ 또는 B^0 또는 C^+ 또는 C^0이다. 교과목 '아'는 절대평가이고, 91점이므로 A^0이다.

㉠ 모든 상대평가 과목의 백분율이 60% 이상이고, 절대평가 과목의 성적이 70점 이상이므로 상우는 모든 과목의 학점이 C^0 이상이다.

| 오답풀이 |

㉡ 모든 교과목의 교수님이 학점을 최대한 높게 준다면 '가'는 B^+(3.5), '나'는 B^+(3.5), '라'는 A^+(4.5), '마'는 B^+(3.5), '사'는 B^+(3.5), '아'는 A^0(4)이고, '바'는 4이다. 따라서 평점 평균은

$$\frac{3\times3.5+2\times3.5+3\times4.5+3\times3.5+4+3\times3.5+2\times4}{3+2+3+3+1+3+2}$$

≒3.8이다. '다'는 미이수이므로 평점 평균 계산 시 포함하지 않는다.

㉢ '마'가 B^+이고, 추가로 B^+를 받을 수 있는 과목은 '가', '나', '사'이다. 따라서 B^+를 받을 수 있는 교과목은 총 4개이다.

31 문제처리능력 정답 | ⑤

해설 학생 수가 400명일 때 광역시는 지원금이 3,000만 원, 시는 2,000만 원, 군은 3,500만 원이다. 따라서 A는 지원금을 최대 3,500만 원을 받고, 최소 2,000만 원을 받는다. 광역시는 지원금이 최대 4,000만 원이므로 B는 지원금을 최대 4,000만 원을 받고, 학생 수가 50명 이하라면 최소 1,000만 원을 받는다. 군은 지원금이 최대 3,500만 원이므로 C는 지원금을 최대 3,500만 원 받고, 학생 수가 50명 이하라면 최소 1,000만 원을 받는다. D의 경우 학생 수가 40명이므로 최대 지원금은 3,000만 원, 최소 지원금은 1,000만 원이다. 따라서 A~D의 지원금의 합은 최대 3,500+4,000+3,500+3,000=14,000(만 원)이고, 최소 2,000+1,000+1,000+1,000=5,000(만 원)이다. 따라서 지원금 합의 최댓값과 최솟값의 차이는 9,000만 원이다.

32 인적자원관리 정답 | ②

해설 서류 전형의 합산 점수를 구한다. A는 가점이 1점, C는 가점이 2점, E는 가점이 3점, F는 가점이 1.5점, I는 가점이 2점, J는 가점이 0.5점이다. 따라서 각 지원자들의 총점은 A 78점, B 85점, C 82점, D 83점, E 85점, F 88.5점, G 89점, H 94점, I 87점, J 87.5점이다. 따라서 H가 1위, G가 2위, F가 3위, J가 4위, I가 5위, B 또는 E가 6위이다. 총점이 동일한 경우 가점을 제외한 점수가 더 높은 지원자의 순위가 더 높다. B는 가점이 없고, E는 가점이 3점이므로 순위는 B가 더 높다. 따라서 B가 6위이고, E는 불합격한다.

33 인적자원관리 정답 | ④

해설 서류 전형에서 H가 1위, G가 2위, F가 3위, J가 4위, I가 5위, B가 6위이다.

필기 전형의 합산 점수를 구한다. 2위(G)는 가점이 2점, 3위(F)는 가점이 1점, 4위(J)는 가점이 3점, 5위(I)는 가점이 3점, 6위(B)는 가점이 1점이다. 따라서 각 지원자들의 총점은 1위(H)는 82점, 2위(G)는 87점, 3위(F)는 82점, 4위(J)는 80점, 5위(I)는 81점, 6위(B)는 86점이다. 따라서 필기 전형에서는 G가 1위, B가 2위이고, H 또는 F가 3위이다. H와 F 중 전공 성적이 더 높은 지원자는 F이므로 F가 3위, H가 4위이다.

면접 전형의 합산 점수를 구한다. 1위(G), 2위(B), 3위(F)가 75점이고, 4위(H)가 80점이다. 따라서 H가 합격하고, 필기 전형의 순위가 1위인 G가 합격한다.

34 물적자원관리 정답 | ⑤

해설 호박케이크 1개를 만들기 위해 박력분 180g, 베이킹소다 3g, 땅콩 20개, 소금 10g, 버터 80g, 설탕 100÷2=50(g), 계란 2개, 단호박 1개, 우유 80ml, 아몬드 10개, 피칸 5개가 필요하다. 이 중 호박케이크 1개, 미니 호박케이크 5개에는 땅콩 20개, 아몬드 10개, 피칸 5개 대신 블루베리 30개가 필요하다. 미니 호박케이크 30개를 만들 때 필요한 분량은 호박케이크 6개를 만들 때 필요한 분량과 같다. 이에 따라 호박케이크 11개를 만들기 위해 필요한 재료의 양을 구해야 하는데, 이 중 2개의 호박케이크에는 견과류 대신 블루베리가 들어간다.

따라서 필요한 재료의 양은 11×(박력분 180g, 베이킹소다 3g, 소금 10g, 버터 80g, 설탕 50g, 계란 2개, 단호박 1개, 우유 80ml)+9×(땅콩 20개, 아몬드 10개, 피칸 5개)+2×(블루베리 30개)이므로 박력분 1,980g(1.98kg), 베이킹소다 33g, 소금 110g, 버터 880g, 설탕 550g, 계란 22개, 단호박 11개, 우유 880ml, 땅콩 180개, 아몬드 90개, 피칸 45개, 블루베리 60개가 필요하다.

현재 박력분 1kg, 베이킹소다 20g, 소금 500g, 설탕 1kg, 계란 12개, 우유 500ml, 땅콩 200개가 있으므로 더 필요한 재료의 양은 박력분 0.98kg, 베이킹소다 13g, 버터 880g, 계란 10개, 단호박 11개, 우유 380ml, 아몬드 90개, 피칸 45개, 블루베리 60개이다.

김 씨가 구입해야 할 재료와 분량의 경우 박력분은 (2×500)g, 베이킹소다는 100g, 버터는 (9×100)g, 계란은 15개, 단호박은 (3×4)개, 우유는 (4×100)ml, 아몬드는 (5×20)개, 피칸은 (5×10)개, 블루베리 100개를 구입해야 하므로 총재료비는 2×6,000+2,000+9×5,000+5,000+3×10,000+4×1,500+5×5,000+5×3,000+10,000=150,000(원)이다.

35 시간자원관리 정답 | ④

해설 김 씨는 P국에서 K국에 출장을 가고, P국은 Red list 국가이다. 김 씨는 백신 접종을 완료하였으므로 K국에서 4일 시설격리를 해야 한다. 11월 1일에 입국하였으므로 1일, 2일, 3일, 4일에 시설격리를 하고, 마지막 날인 4일에 격리해제가 된다. 이날부터 3박 4일간 출장 업무를 수행하면 7일에 한국으로 돌아온다. K국에서 입국하면 자가격리가 해제되지만 7일 이내 P국 방문 이력이 있으므로 7일간 자가격리를 해야 한다. 따라서 7일부터 13일까지 자가격리를 하고, 13일에 격리가 해제된다. 11월 1일이 월요일이므로 11월 13일은 토요일이고, 출근은 그다음 근무일인 11월 15일 월요일에 할 수 있다.

36 인적자원관리 정답 | ⑤

해설 만약 과장이 대리에게, 대리는 사원에게만 연락 가능하다면 대리 4명, 사원 12명에게 연락을 할 수 있다. 이 경우 대리와 사원이 16명이다.

만약 대리 중 한 명이 사원 2명과 대리 1명에게 연락하고, 이 대리가 사원 3명에게 연락한다면 연락하는 대리는 1명이 늘고, 사원은 2명이 는다. 이 경우 대리 5명, 사원 14명에게 연락할 수 있다.

만약 대리 중 한 명이 사원 1명과 대리 2명에게 연락하고, 이 대리가 사원 3명에게 연락한다면 연락하는 대리는 1명이 늘고, 사원은 2명이 는다. 이 경우 대리 6명, 사원 16명에게 연락할 수 있다.

즉 연락하는 대리가 한 사람이 늘면, 사원은 두 사람이 는다. 따라서 대리가 $(4+x)$명이면 사원은 $(12+2x)$명이 되므로 $(4+x)+(12+2x)=16+3x$이다. $16+3x=25$ → $x=3$이므로 프로젝트에 참여하는 인원은 대리가 7명, 사원은 18명이다.

37 인적자원관리 정답 | ①

해설 직급이 혼합되어 있을 때 감사팀 직원 1인당 담당하는 직원 수가 많으므로 감사팀 직원 수가 최소가 되려면 한 직급만 담당하는 감사팀 직원이 최대한 적어야 한다. 따라서 혼합 담당자는 최대가 되어야 하므로 4명이다.

만약 사원+대리를 담당하는 직원이 4명이라면 사원 22명, 대리 28명, 과장 30명을 담당하는 직원이 필요하므로 사원만 맡는 직원이 최소 3명, 대리만 맡는 직원이 최소 4명, 과장만 맡는 직원이 최소 6명 필요하다. 따라서 이때 필요한 감사팀 직원 수는 총 4+3+4+6=17(명)이다.

만약 사원+과장을 담당하는 직원이 4명이라면 사원 26명, 대리 40명, 과장 14명을 담당하는 직원이 필요하므로 사원만 맡는 직원이 최소 3명, 대리만 맡는 직원이 최소 5명, 과장만 맡는 직원이 최소 3명 필요하다. 따라서 이때 필요한 감사팀 직원 수는 4+3+5+3=15(명)이다.
만약 대리+과장을 담당하는 직원이 4명이라면 사원 50명, 대리 20명, 과장 10명을 담당하는 직원이 필요하므로 사원만 맡는 직원이 최소 5명, 대리만 맡는 직원이 최소 3명, 과장만 맡는 직원이 최소 2명 필요하다. 따라서 이때 필요한 감사팀 직원 수는 4+5+3+2=14(명)이다.
따라서 필요한 감사팀 직원 수는 최소 14명이다.

38 시간자원관리 정답 | ①

해설 집에 도착한 오후 7시 20분부터 2시간 40분(160분) 동안 일과를 수행한 후 오후 10시에 바로 잠에 들었다. 식사와 일기 쓰기는 반드시 수행하므로 36분이 소요된다. 따라서 남은 일과로 124분을 보낸다.
만약 운동을 했다면 목욕을 하고, 총 74분이 소요된다. 따라서 남은 시간은 50분이다. 목욕을 하면 샤워를 하지 않고, 드라마 시청은 50분을 넘으므로 수행하지 않는다. 따라서 가능한 일과는 신문 읽기(6분), 독서(25분), 게임(33분), 청소(13분), 온라인 쇼핑(26분)이다. 이 일과를 조합하여 50분이 소요되지 않는다. 따라서 진호는 오늘 퇴근 후 운동과 목욕을 하지 않았다.
만약 운동은 하지 않고 목욕만 했다면, 36분이 소요되므로 남은 시간은 88분이다. 목욕을 하면 샤워를 하지 않는다. 따라서 가능한 일과는 신문 읽기(6분), 드라마 시청(58분), 독서(25분), 게임(33분), 청소(13분), 온라인 쇼핑(26분)이다. 만약 드라마 시청과 게임을 모두 하지 않았다면 6+25+13+26=70(분)이 소요된다. 따라서 드라마 시청과 게임 중 하나는 수행하였다. 만약 드라마 시청을 수행하였다면 신문 읽기, 독서, 청소, 온라인 쇼핑을 합해 30분을 보내야 하는데 이 일과를 조합하여 30분을 보낼 수 없다. 만약 게임을 수행하였다면 신문 읽기, 독서, 청소, 온라인 쇼핑을 합해 55분을 보내야 하는데 이 일과를 조합하여 55분을 보낼 수 없다. 따라서 진호는 오늘 퇴근 후 목욕을 하지 않았다.
목욕을 하지 않았으므로 샤워를 했고, 21분이 소요되어 남은 시간은 103분이다. 목욕을 하지 않았으므로 운동을 하지 않는다. 따라서 가능한 일과는 신문 읽기(6분), 드라마 시청(58분), 독서(25분), 게임(33분), 청소(13분), 온라인 쇼핑(26분)이다. 만약 드라마 시청과 게임을 모두 하지 않았다면 6+25+13+26=70(분)이 소요된다. 따라서 드라마 시청과 게임 중 하나는 수행하였다. 만약 드라마 시청을 수행하였다면 신문 읽기, 독서, 청소, 온라인 쇼핑을 합해 45분을 보내야 한다. 신문 읽기, 청소, 온라인 쇼핑을 했다면 45분을 보낼 수 있다. 만약 게임을 수행하였다면 신문 읽기, 독서, 청소, 온라인 쇼핑을 합해 70분을 보내야 하는데 해당 일과를 모두 수행하면 70분을 보낼 수 있다.
따라서 진호는 식사, 샤워, 신문 읽기, 드라마 시청, 일기 쓰기, 청소, 온라인 쇼핑을 수행했거나 식사, 샤워, 신문 읽기, 독서, 일기 쓰기, 게임, 청소, 온라인 쇼핑을 수행하였으므로 목욕과 운동은 반드시 수행할 수 없다.

39 자료계산 정답 | ①

해설 SNS의 사용이 증가한 사람은 SNS를 이용한다고 응답한 사람의 일부이므로 $(1,000\times a\%)\times 38\%=311 \rightarrow \left(1,000\times\frac{a}{100}\right)\times\frac{38}{100}=311$,
$3.8a=311 \quad \therefore a\fallingdotseq 82$
따라서 a의 값은 ①이다.

40 자료이해 정답 | ④

해설 1$당 환율이 1,200원이면 삼양식품㈜의 수출액은 512,755,087×1,200(원)≒513,000,000×1.2(천 원)=615,600,000(천 원)<2,115,666,865(천 원, 생산액 1위 업체)이므로 생산액 1위 업체의 생산액보다 적다.

| 오답풀이 |

① 생산액 상위 20개사 중 삼양식품㈜, ㈜팔도는 국내판매액 상위 20개사에 포함되지 않으면서 수출액 상위 20개사에는 포함되어 있기 때문에 옳다.
② 국내판매액 상위 20개사에만 포함된 업체는 ㈜동원F&B, 매일유업㈜의 2곳이기 때문에 옳다.
③ 1위 업체와 20위 업체의 생산액 차는 2,116(십억 원)−303(십억 원)=1,813(십억 원)이고, 국내판매액에서의 차는 2,572(십억 원)−314(십억 원)=2,258(십억 원)이므로

더 작기 때문에 옳다.

⑤ 1$당 환율이 1,100원일 경우 ㈜크라운제과의 수출액의 8배는 35,711,020×1,100(원)×8=35,711,020×1.1(천 원)×8=314,256,976(천 원)이고, 국내판매액은 314,315,166천 원으로 수출액의 8배 이상이기 때문에 옳다.

41 자료이해 정답 | ④

해설 ㉡ 정액급여 및 초과급여는 3,630천 원으로 전년보다 3,630−3,520=110(천 원) 증가하였으며, 상여금 및 성과급은 654천 원으로 전년보다 10.7% 감소했기 때문에 옳지 않다.

㉣ 2020년 1인당 복지비용 액수가 2019년에 비해 가장 크게 감소한 항목은 자녀학비로 21−19.3=1.7(천 원) 감소하였으며, 2019년 자녀학비 비용 비중은 그해 간접노동비용의 $\frac{21}{1,090}\times100≒1.9(\%)$이기 때문에 옳지 않다.

| 오답풀이 |

㉠ 노동비용 중 $\frac{4,284}{5,408}\times100≒79.2(\%)$를 차지하는 직접노동비용(임금총액, 4,284천 원)은 전년 대비 0.8% 증가, 간접노동비용(1,125천 원)은 3.2% 증가했기 때문에 옳다.

㉢ 간접노동비용의 전년 대비 비용에 대한 상세 내용으로 간접노동비용 항목 중 퇴직급여 등의 비용은 전년 대비 472−456=16(천 원) 증가, 법정 노동비용은 전년 대비 398−382=16(천 원) 증가, 법정 외 복지비용은 전년 대비 234−224=10(천 원) 증가, 교육훈련 비용은 전년 대비 16−22=−6(천 원)으로 6천 원 감소, 채용 관련 비용은 전년 대비 5−6=−1(천 원)으로 1천 원 감소이기 때문에 옳다.

42 자료이해 정답 | ⑤

해설 미시령−황철봉 400~700m 영역의 2020년 착엽기간은 164일이므로 2019년 대비 약 168−164=4(일) 짧아진 것은 맞지만, 이는 개엽 시기는 늦어지고, 낙엽 시기가 빨라졌기 때문인 것으로 판단할 수 있다. 또한 주어진 자료만으로는 2018년부터 착엽기간이 짧아진 것인지 확인하기 어렵다.

| 오답풀이 |

① 천은사골−노고단 1,000~1,200m 영역의 2020년 착엽기간은 154일로, 2019년 172일보다 약 172−154=18(일) 짧아졌다.

② 천은사골−노고단 700~1,000m 영역의 2020년 착엽기간은 179일로, 2018년보다 약 187−179=8(일), 2019년보다 약 183−179=4(일) 짧아졌다.

③ 천은사골−노고단 400~700m 영역의 2020년 착엽기간은 184일로 2018년 194일보다 약 194−184=10(일), 2019년 187일보다 약 187−184=3(일) 짧아졌다.

④ 미시령−황철봉 700~1,000m 영역의 2020년 착엽기간은 99일로, 2019년 147일과 비교했을 때 약 48일 정도 큰 폭으로 짧아졌는데, 개엽 시기는 약 6일 늦어졌으나 낙엽 시기가 약 42일 빨라져 그 폭이 더 크게 나타난 것으로 판단할 수 있다.

43 자료계산 정답 | ①

해설 필기 시험 응시율은 필기 시험 응시자 수를 필기 시험 접수자 수로 나눈 것이고, 실기 시험 응시율은 실기 시험 응시자 수를 실기 시험 접수자 수로 나눈 것이다. 이에 따라 A~D의 값을 구하면 다음과 같다.

- $A=\frac{82,315}{106,883}\times100≒77.0(\%)$
- $B=\frac{191,429+56,919}{224,587+65,265}\times100$
  $=\frac{248,348}{289,852}\times100≒85.7(\%)$
- $C=\frac{19,615}{22,803}\times100≒86.0(\%)$
- $D=\frac{3,712}{3,731}\times100≒99.5(\%)$

따라서 A<B<C<D이다.

44 자료계산 정답 | ③

해설 합격자 수는 응시자 수와 합격률을 곱한 값이다. 이에 따라 a, b의 값을 구하면 다음과 같다.

- $a=1,246\times0.479≒597$(명)
- $b=191,429\times0.594≒113,709$(명)

따라서 $b-a=113,112$이므로 ③이 정답이다.

45 자료이해 정답 | ③

해설 이 업체의 톤당 설치비는 24백만 원/톤이고, 설치단가는 톤당 비용으로 고정되어 있기 때문에 옳지 않다.

| 오답풀이 |

① 돈분 7,000×2=14,000(kg)을 이용하여 얻은 퇴비

1,278×2=2,556(kg)의 고형물은 831×2=1,662(kg)이고, 고형물의 비율은 65%이기 때문에 옳다.

② 돈분은 7,000kg, 계분 8,000×2=16,000(kg)이면 퇴비 1,278+3,108×2=7,494(kg)을 얻기 때문에 옳다.

④ 돈분만을 이용하여 퇴비 1,278×5=6,390(kg)을 얻는 데 필요한 운영비와 설치비는 톤당 24백만 원+41,842원=24,041,842(원)이기 때문에 옳다.

⑤ 퇴비 5,000kg을 얻는 데 필요한 계분을 $a$kg라고 하면 3,108 : 8,000=5,000 : a이므로 필요한 계분은 a=8,000×5,000÷3,108≒12,870(kg)이기 때문에 옳다.

46 자료이해 정답 | ④

해설 ㉠ 2021년 9급 공채 시험 출원자는 156,311+41,799=198,110(명)이고, 응시자는 88,804+67,507=156,311(명)이기 때문에 옳다.

㉡ 2021년 9급 공채 시험 응시자 대비 과락률은 $\frac{67,507}{156,311}\times 100 ≒ 43.2(\%)$이므로 옳다.

㉣ 과락자를 제외한 55점 이상 60점 미만인 응시자 수가 가장 적은 해는 2020년이며, 2020년의 과락자를 제외한 80점 이상 85점 미만의 응시자 수는 약 2,000명이므로 옳다.

| 오답풀이 |

㉢ 2018년 50점 미만을 받은 과락자를 제외한 응시자 수는 약 8,000명이고, 같은 해 70점 이상 80점 미만을 받은 과락자를 제외한 응시자 수는 약 5,000+1,000=6,000(명)으로 50점 미만 응시자 수가 더 많기 때문에 옳지 않다.

47 정보능력 정답 | ④

해설 윈도우 재설치가 필요하다는 사실을 알게 되었다고 하였으나, 이는 주어진 모든 에러에 대한 문제해결방법이 될 수 있어 정답을 찾는 데 별다른 도움이 되지 않는다. 따라서 2GB 메모리카드 2개를 추가 장착하였다는 사실에 주목해 보면, 0×00000050, 0×0000007F, 0×000000D1의 에러코드에서 그 원인으로 '문제 있는 메모리카드', '추가 증설한 메모리카드', '호환되지 않는 메모리카드'가 언급되어 있음을 알 수 있다. 따라서 이들 3개는 조 대리가 의심해 볼 수 있는 에러코드가 되므로 정답은 ④이다.

48 대인관계능력 정답 | ④

해설 H대리는 수동형 팔로워십을 가진 구성원이라고 할 수 있다. 수동형 팔로워십을 가진 구성원은 판단, 사고를 리더에 의존하며, 리더의 지시가 있어야 행동하는 특징을 보인다. 동료들은 그러한 구성원을 하는 일이 없으며, 제 몫을 하지 못하고 업무 수행에는 감독이 반드시 필요하다고 여긴다. 또한 본인은 조직이 자신의 아이디어를 원치 않으며, 노력과 공헌을 해도 아무 소용이 없다고 여기고 리더는 항상 자기 마음대로 한다는 생각을 갖고 있는 것이 특징이다. 따라서 ④와 같이 책임, 권한과 함께 적절한 임무를 부여하고 창의적인 아이디어를 스스로 발휘할 수 있도록 기회를 제공하는 방법이 팔로워십 개선을 위한 해결책으로 적절하다고 볼 수 있다.

| 오답풀이 |

① 능력과 자질을 인정해 주는 것은 자신을 인정해 주지 않는다는 생각을 갖고 있는 소외형 팔로워에게 적용할 수 있는 개선책이므로 적절하다고 볼 수 없다.

② 리더의 의견을 거스르지 말고 순응해야 하며, 기존 질서를 준수해야 한다는 생각은 순응형 팔로워십을 가진 구성원이 조직에 대해 느끼는 바이다. 이러한 점을 상기시키는 것은 수동형 팔로워십을 가진 H대리에게 적절한 개선책으로 볼 수 없다.

③ 리더와 조직 구성원들 간에 비인간적인 풍토가 있다고 느끼는 것은 실무형 팔로워의 특징이므로 적절한 개선책이라고 볼 수 없다.

⑤ 모든 업무 결과에 따른 보상을 명확히 규정해 두는 것은 현실적이지 않으며, 적절한 보상이 없다고 느끼는 것은 소외형 팔로워의 특징이다. 따라서 이 역시 적절한 개선책이라고 볼 수 없다.

49 조직이해능력 정답 | ④

해설 계속근로연수 3년인 직원이므로 16일의 연차휴가가 발생되며, 반일 연차 6회 사용은 3일 연차 사용이 되므로 13일의 잔여 휴가 일수가 발생하게 된다.

| 오답풀이 |

① 계속근로연수가 1년 미만인 직원이 3일의 연차를 사용하였으므로 1년 후 받게 되는 15일 연차휴가에서 3일만큼을 공제하게 되어 12일의 연차휴가가 발생한다.

② 3년이 지난 후부터 매 2년마다 1일씩 추가되어 3년 후 16일, 5년 후 17일, 7년 후 18일의 연차휴가 일수가 발생

한다. 8년 후에는 여전히 18일이 된다.

③ 서면 통보를 받은 잔여 휴가를 사용하지 않을 경우 연차 수당이 지급되지 않으며, 1년이 지나면 소멸되므로 만일 서면 통보를 받지 못하였다면 소멸된 휴가에 대하여 연차 수당을 받을 수 있는 것으로 판단할 수 있다.

⑤ 질병으로 인한 병가는 계속 출근한 것으로 인정되어 5년차 17일 휴가가 소멸된다.

50 정보능력 정답 | ④

해설 세 모델 모두 냉방능력을 표시하는 세 번째와 네 번째 자리에 16 또는 18이 표시되어 있으므로 냉방능력은 $60m^2$ 이하이며, 개발순서를 의미하는 다섯 번째 자리에 5 또는 6이 표시되어 있으므로 모두 2020년 이후 개발된 것을 알 수 있다.

| 오답풀이 |

① 마지막에 알파벳 다음으로 1 또는 2가 표시된 모델이 옵션을 장착한 것이므로 ⓒ만 옵션을 장착한 모델이다.

② 모델명의 처음에 모두 F가 표시되어 있으므로 세 모델 모두 스탠드형인 것을 알 수 있다.

③ 냉방전용 모델은 두 번째 자리에 Q 또는 C가 표시된 ⓛ과 ⓒ 모델이며, 색상을 의미하는 아홉 번째 자리를 보면 ⓛ은 화이트(W), ⓒ은 브라운(B) 색상이므로 동일한 색상이 아니다.

⑤ 패턴을 나타내는 여덟 번째 자리에 기호가 모두 W이므로 세 모델 모두 웨이브 패턴이다.

MEMO

월간 NCS 실전모의고사

감 독 확인란	

성 명

(첫째 칸) ㉠ ㉡ ㉢ ㉣ ㉤ ㉥ ㉦ ㉧ ㉨ ㉩ ㉪ ㉫ ㉬ ㉭ / ㅏ ㅑ ㅓ ㅕ ㅗ ㅛ ㅜ ㅠ ㅡ ㅣ ㅐ ㅒ ㅔ ㅖ ㅘ ㅙ ㅚ ㅝ ㅞ ㅟ ㅢ / ㉠ ㉡ ㉢ ㉣ ㉤ ㉥ ㉦ ㉧ ㉨ ㉩ ㉪ ㉫ ㉬ ㉭

(둘째~넷째 칸) ㉠ ㉡ ㉢ ㉣ ㉤ ㉥ ㉦ ㉧ ㉨ ㉩ ㉪ ㉫ ㉬ ㉭ ㄲ ㄸ ㅃ ㅆ ㅉ / ㅏ ㅑ ㅓ ㅕ ㅗ ㅛ ㅜ ㅠ ㅡ ㅣ ㅐ ㅒ ㅔ ㅖ ㅘ ㅙ ㅚ ㅝ ㅞ ㅟ ㅢ / ㉠ ㉡ ㉢ ㉣ ㉤ ㉥ ㉦ ㉧ ㉨ ㉩ ㉪ ㉫ ㉬ ㉭ ㄲ ㄸ ㅃ ㅆ ㅉ ㄺ ㄻ

수 험 번 호

⓪	⓪	⓪	⓪	⓪	⓪
①	①	①	①	①	①
②	②	②	②	②	②
③	③	③	③	③	③
④	④	④	④	④	④
⑤	⑤	⑤	⑤	⑤	⑤
⑥	⑥	⑥	⑥	⑥	⑥
⑦	⑦	⑦	⑦	⑦	⑦
⑧	⑧	⑧	⑧	⑧	⑧
⑨	⑨	⑨	⑨	⑨	⑨

출생(생년을 제외한) 월일

⓪	⓪	⓪	⓪
①	①	①	①
②	②	②	②
③	③	③	③
④	④	④	④
⑤	⑤	⑤	⑤
⑥	⑥	⑥	⑥
⑦	⑦	⑦	⑦
⑧	⑧	⑧	⑧
⑨	⑨	⑨	⑨

수험생 유의사항

(1) 아래와 같은 방식으로 답안지를 바르게 작성한다.

[보기] ① ② ● ④ ⑤

(2) 성명란은 왼쪽부터 빠짐없이 순서대로 작성한다.

(3) 수험번호는 각자 자신에게 부여 받은 번호를 표기하여 작성한다.

(4) 출생 월일은 출생연도를 제외하고 작성한다.

(예) 2002년 4월 1일은 0401로 표기한다.

번호	답란	번호	답란	번호	답란	번호	답란
01	① ② ③ ④ ⑤	16	① ② ③ ④ ⑤	31	① ② ③ ④ ⑤	46	① ② ③ ④ ⑤
02	① ② ③ ④ ⑤	17	① ② ③ ④ ⑤	32	① ② ③ ④ ⑤	47	① ② ③ ④ ⑤
03	① ② ③ ④ ⑤	18	① ② ③ ④ ⑤	33	① ② ③ ④ ⑤	48	① ② ③ ④ ⑤
04	① ② ③ ④ ⑤	19	① ② ③ ④ ⑤	34	① ② ③ ④ ⑤	49	① ② ③ ④ ⑤
05	① ② ③ ④ ⑤	20	① ② ③ ④ ⑤	35	① ② ③ ④ ⑤	50	① ② ③ ④ ⑤
06	① ② ③ ④ ⑤	21	① ② ③ ④ ⑤	36	① ② ③ ④ ⑤		
07	① ② ③ ④ ⑤	22	① ② ③ ④ ⑤	37	① ② ③ ④ ⑤		
08	① ② ③ ④ ⑤	23	① ② ③ ④ ⑤	38	① ② ③ ④ ⑤		
09	① ② ③ ④ ⑤	24	① ② ③ ④ ⑤	39	① ② ③ ④ ⑤		
10	① ② ③ ④ ⑤	25	① ② ③ ④ ⑤	40	① ② ③ ④ ⑤		
11	① ② ③ ④ ⑤	26	① ② ③ ④ ⑤	41	① ② ③ ④ ⑤		
12	① ② ③ ④ ⑤	27	① ② ③ ④ ⑤	42	① ② ③ ④ ⑤		
13	① ② ③ ④ ⑤	28	① ② ③ ④ ⑤	43	① ② ③ ④ ⑤		
14	① ② ③ ④ ⑤	29	① ② ③ ④ ⑤	44	① ② ③ ④ ⑤		
15	① ② ③ ④ ⑤	30	① ② ③ ④ ⑤	45	① ② ③ ④ ⑤		

베스트셀러 1위
에듀윌 취업 교재 시리즈

공기업 NCS | 쏟아지는 100% 새 문항*

월간 NCS
NCS BASIC 기본서 | NCS 모듈형 기본서
NCS 모듈학습 2021 Ver. 핵심요약집

NCS 통합 기본서/봉투모의고사
NCS 피듈형 | 행과연 봉투모의고사
PSAT형 NCS 자료해석 실전 380제
매일 1회씩 꺼내 푸는 NCS

한국철도공사 | 부산교통공사
서울교통공사 | 5대 철도공사·공단
국민건강보험공단 | 한국전력공사
한국전력+7대 에너지공기업

한수원+5대 발전회사
한국수자원공사 | 한국수력원자력
한국토지주택공사 | IBK 기업은행
인천국제공항공사

NCS를 위한 PSAT 기출완성 시리즈
NCS, 59초의 기술 시리즈
NCS 6대 출제사 기출PACK
NCS 결정적 기출문제집

대기업 인적성 | 온라인 시험도 완벽 대비!

대기업 인적성 통합 기본서

GSAT 삼성직무적성검사

LG그룹 인적성검사

SKCT SK그룹 종합역량검사
롯데그룹 L-TAB

농협은행
지역농협

취업상식 1위!*

월간 시사상식

多통하는 일반상식
상식 통합대비 문제풀이집

공기업기출 일반상식
언론사 기출상식
기출 금융경제 상식

자소서부터 면접까지!

NCS 자소서&면접
면접관이 말하는 NCS 자소서와
면접_사무·행정/전기 직렬

끝까지 살아남는 대기업 자소서

* 에듀윌 취업 공기업 NCS 통합 봉투모의고사, 코레일 봉투모의고사, 서울교통공사 봉투모의고사 교재 해당 (2021년 상반기 출간 교재 기준)
* YES24 수험서 자격증 취업/상식/적성검사 취업/면접/상식 베스트셀러 1위 (2020년 2월 월별 베스트)
* YES24 국내도서 해당 분야 월별, 주별 베스트 기준

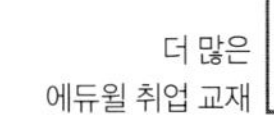

한국사능력검정시험 기본서/2주끝장/기출/우선순위50/초등

조리기능사 필기/실기

제과제빵기능사 필기/실기

SMAT 모듈A/B/C

ERP정보관리사 회계/인사/물류/생산(1, 2급)

전산세무회계 기초서/기본서/기출문제집

어문회 한자 2급 | 상공회의소한자 3급

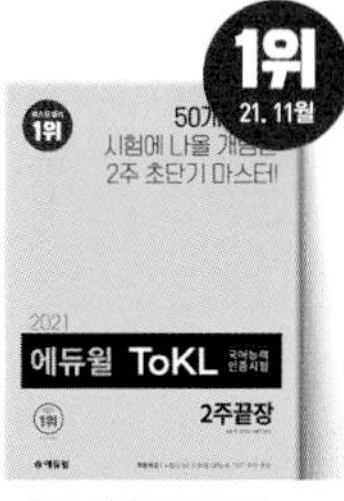

ToKL 한권끝장/2주끝장

KBS한국어능력시험 한권끝장/2주끝장/문제집/기출문제집

한국실용글쓰기

매경TEST 기본서/문제집/2주끝장

TESAT 기본서/문제집/기출문제집

스포츠지도사 필기/실기구술 한권끝장

산업안전기사 | 산업안전산업기사

위험물산업기사 | 위험물기능사

무역영어 1급 | 국제무역사 1급

운전면허 1종·2종

컴퓨터활용능력 | 워드프로세서

월간시사상식 | 일반상식

월간 NCS | 매1N

NCS 통합 | 모듈형 | 피듈형

PSAT형 NCS 자료해석 380제

PSAT 기출완성 | 6대 출제사 기출PACK

한국철도공사 | 서울교통공사 | 부산교통공사

국민건강보험공단 | 한국전력공사

한수원 | 수자원 | 토지주택공사

행과연 | 기업은행 | 인천국제공항공사

대기업 인적성 통합 | GSAT

LG | SKCT | CJ | L-TAB

ROTC·학사장교 | 부사관

※ YES24 수험서 자격증 주택관리사 베스트셀러 1위 (2010년 12월, 2011년 3월, 9월, 12월, 2012년 1월, 3월~12월, 2013년 1월~5월, 8월~11월, 2014년 2월~8월, 10월~12월, 2015년 1월~5월, 7월~12월, 2016년 1월~12월, 2017년 1월~12월, 2018년 1월~12월, 2019년 1월~12월, 2020년 1월~7월, 9월~12월, 2021년 1월~11월 월별 베스트, 매월 1위 교재는 다름)

※ YES24 국내도서 해당분야 월별, 주별 베스트 기준